TRAHISON DE L'OCCIDENT

JACQUES ELLUL

TRAHISON
DE L'OCCIDENT

CALMANN-LÉVY

ISBN 2-7021-0073-2

Imprimé en France

Prologue

ON ne sait trop ce qu'il serait possible d'ajouter dans une réflexion sur l'Occident après H. Massis, Spengler, Sombart, Dandieu, Ortega y Gasset, Malraux et quelques autres qui ont médité sur la grandeur et la décadence de cette civilisation, ou qui ont présenté une défense de l'Occident.

Cependant tout n'est pas dit, et dans la crise que nous traversons, dans la mise en question de notre civilisation, rejetée à la légère, condamnée avec de bons arguments, et sans autre avocat que des matraques fascistes, il faut tenter une fois encore de se regarder dans le miroir, de tenter de discerner notre vrai visage derrière les masques, et malgré les grimaces, de ressaisir notre vérité, avant la défiguration dernière, qui ne saurait tarder.

Il ne s'agit pas ici de refaire l'œuvre de Rutilius Namatianus, ni une apologétique. Mais en présence de la montée des haines et des condamnations envers ce monde occidental, en présence de l'exaltation suicidaire de beaucoup d'Européens, il s'agit pour moi qui ai attaqué la société technicienne et la rationnalité scientifique, de montrer que l'Occident est encore tout autre chose — une valeur irremplaçable et la fin de l'Occident ce serait aujourd'hui la fin des civilisations possibles.

Mais je vois aussitôt les scientifiques, sociologues, historiens et politologues, plisser le nez ou le front selon leur

mythologie. Je les entends dire avec mépris : « L'Occident?
qu'est cela? Y a-t-il quelque unité entre la Suède et l'Ita-
lie? Il n'y a pas *un* Occident! il y en a cent. N'y a-t-il pas
plus de différence entre l'Espagne et la Russie qu'entre les
Espagnols du Sud et les Arabes, entre les Russes de l'Est et
les Mongols? où s'arrête cette « civilisation occidentale »?
Quelles limites? l'Europe? quelle Europe? avec ou sans la
Russie? avec ou sans la Turquie? et l'Amérique est-elle ou
non partie de cette civilisation occidentale? » Mais on peut
aussi bien retourner la question! Et je connais trop les tenta-
tives comparatistes pour ne point aussi entendre cette objec-
tion. Une civilisation occidentale? allons donc! Tout le Midi
envahi par les Arabes pendant des siècles. Les Arabes qui
y ont apporté tout, depuis Aristote jusqu'aux mathéma-
thiques, depuis l'irrigation jusqu'à la mystique. Et l'Est
envahi, occupé, par les Huns et les Hongrois, et tant d'autres... Le christianisme? Mais n'oubliez pas qu'il vient
d'Orient! L'Occident, c'est comme Saint-Marc, fabriqué avec
les dépouilles de toutes les villes, de tous les palais, temples,
arcs de triomphe, colonnes et portiques pillés par les Véni-
tiens. Il n'y a pas d'Occident. Il y a des accumulations de
données venant de partout... Il y a des interactions géné-
rales — et si la civilisation dite occidentale disparaît, elle
est déjà diffusée dans le monde, tous les peuples sont devenus « occidentaux »! Je sais, je sais, la précision en ces
domaines est impossible. Je ne vais pas entamer une fois de
plus le débat de la possibilité d'établir scientifiquement les
données des sciences sociales. Personne n'a jamais pu davantage définir exactement et de façon satisfaisante pour tous
des concepts comme Classe ou Idéologie. Pourtant il n'y
aurait ni sociologie ni science politique sans ces concepts.
Il faut accepter que dans l'incertitude du caractère scientifique de ces sciences mêmes, on continue pourtant à parler,
et même à se comprendre. Il faut faire appel aux « pré-
conceptions » et au « Metalangage ». Quand on dit : Occi-

dent, ce n'est pas un mot comme un autre. Il évoque des images et des émotions : qui ne sont pas fausses puisque précisément elles *sont* l'image de l'Occident! C'est un passé, une différence, une histoire commune et un projet de l'homme... et on le vit. Même si on ne le sait pas clairement. Même si on n'arrive pas à le définir scientifiquement. En ces matières, le raffinement et la précision sont mortels parce que produisant de fausses supériorités intellectuelles au prix d'un très grand appauvrissement. Il faut être extrêmement grossier. Je suis désolé, mais être français ce n'est pas être chinois. Avoir eu un long passé chrétien, ce n'est pas avoir eu un passé musulman. Avoir conquis le monde ce n'est pas avoir été conquis. Avoir créé la science moderne après mille ans de tâtonnements, ce n'est pas avoir répété des rituels magiques ou fait des inventions accidentelles. Avoir donné le primat à la rationalité ou à l'avenir ou à l' « avoir », c'est s'être engagé sur un chemin totalement différent de celui poursuivi par tous les autres groupes humains. Et cela me suffit comme approximation grossière. Occident? Mais nous savons très bien de quoi nous parlons!

CHAPITRE PREMIER

Défense de l'Occident

I

Coupable non coupable

L'OCCIDENT a mauvaise réputation aujourd'hui, et chacun cherche à fuir ce vaisseau qui sombre. L'Occident est porteur de tous les péchés. Il a envahi le monde. Il a subjugué des peuples qui ne demandaient (dit notre nouvelle Légende des siècles) qu'à vivre en paix. Ces peuples étaient heureux, féconds, prolifiques, bien nourris, ne connaissant ni le mal ni la guerre ni l'esclavage, ils avaient sécurité et philosophie. Age d'or d'un nouveau style. Pas tellement, puisque nous retrouvons dans la peinture idyllique que l'on nous fait de la Chine ou de l'Empire arabe, du monde bantou et de l'Empire aztèque, toutes les généreuses effusions du XVIIIᵉ siècle. S'il y a aujourd'hui des rénovateurs du mythe du bon sauvage c'est assurément ceux qui nous racontent gravement ce merveilleux monde qui fut avant que l'occidental ne vînt. Tous les arts et tous les raffinements, monde heureux ignorant la mort, le péché comme la honte, sans oppression et sans morale — la libre nature pour un homme innocent. Et puis l'Occident vint avec son cortège de catastrophes. Il est apparu avec ses hommes bardés de fer, assoiffés d'or et d'argent, trompant les pauvres peuples qui accueillaient ces étrangers avec une édénique hospitalité. Ces guerriers, ces commerçants ont dévalisé les richesses, asservi les hommes, conquis les terres. N'est-ce même pas le titre qu'ils se donnaient à eux-mêmes, les Conquistadores. Ils ont importé la terreur, la torture, la maladie. Ils ont installé leur domination illégitime, réduisant les peuples dans une sujétion abjecte. Ils ont instauré le système colonial. Tout au profit de la métropole. Ils ont agi par seule soif de l'or et de la puissance. Barbares plus barbares que ne le furent jamais conquérants — les uns avec la pure violence — les autres avec la vertu. Les uns sans voile et les autres cachés dans leur hypocrisie.

Et leurs missionnaires les accompagnaient, détruisant les mœurs saines et naturelles. Imposant une idéologie qui n'avait d'autre but que de couvrir le trafic et la mort. Ils ont écrasé les anciennes croyances, adaptées aux peuples qui les avaient élaborées. Ils ont fait éclater les cultures et ce faisant, les groupes sociaux eux-mêmes, laissant l'homme seul, là où, autrefois, il était merveilleusement inclus dans des sociétés équilibrées. Ils ont imposé une morale, faisant découvrir le mal et le péché à ces âmes simples. Ils ont terrorisé par l'enfer, et fait inaugurer la crainte de la mort. Ces missionnaires patibulaires ont fait une œuvre pire que celle des guerriers et des marchands. Ils ont volé l'âme des peuples. Ils ont fait commerce de l'âme — à partir de là, tout fut ruiné, les langues furent combattues pour laisser la place aux idiomes occidentaux, allemand, anglais, espagnol, français.. les lois et les coutumes furent remplacées par celles de l'envahisseur qui a volé d'un coup l'honneur, la dignité, avec la foi ancestrale et les richesses dormantes. Et celui-ci a réécrit l'histoire : avant il n'y avait que ténèbres et barbarie — il a porté, dit-il, avec lui, la civilisation. Ceux qui ont résisté n'avaient été que d'affreux brigands, Behanzin ou les Pavillons noirs, qui s'opposaient à l'apport heureux et pacifique des bienfaits de la Science et de la Médecine à ces peuples ignorants et sous-développés. Telle fut l'histoire officielle que l'on racontait aux enfants des écoles. Et l'on apprenait, de façon d'ailleurs inconsciente, à considérer Noirs, Rouges et Jaunes comme de pauvres inférieurs, de qui certes il fallait avoir pitié, et qui ne méritaient pas tout le bien que nous leur faisions, étant envers nous hypocrites et rebelles, n'acceptant pas de venir coopérer avec nous. Cependant, disait l'histoire officielle, beaucoup, heureusement, acceptaient tout à fait de coopérer avec nous! Beaucoup étaient de fidèles servants. Et sont venus défendre en 1914 la patrie en danger. Mensonges, mensonges, comment ne pas comprendre que nous étions pour eux de simples conquérants, des étrangers qui se permettaient tout — et volaient les femmes et les richesses.

Mais le temps a tourné sur ses talons de verre, et nous ne croyons plus à aucune de ces légendes, de ces belles histoires. Nos yeux se sont ouverts, nous avons vu, nous sommes désillusionnés. Nous savons maintenant la Vérité. Et celle-ci, c'est que l'Européen a tué, anéantissant totalement parfois les peuples qui voulaient rester libres. Ainsi les innombrables tribus indiennes d'Amérique du Nord ont été systématiquement dépouillées par des contrats de dupe, puis ruinées dans leur corps par l'hypocrite don de l'eau de feu, puis éliminées physiquement à chaque tentative pour retrouver leur liberté, hors des réserves. Et l'on partait en week-end à la chasse à l'Indien, combien plus intéressante que la chasse au perdreau. En Amérique latine, ce sont les atrocités de ceux qui ont répandu volontairement les maladies européennes pour provoquer des épidémies décimant (et bien plus!) les tribus autochtones — affreuse histoire des objets volontairement contaminés et jetés dans la forêt pour que les indiens les ramassent. Et ce furent des « officiers des affaires indigènes » qui l'ont fait. En Chine, c'est la persévérante volonté de la Grande-Bretagne d'introduire l'opium pour anéantir les peuples d'Asie par cet autre moyen. Tout fut utilisé. Un seul objectif : l'exploitation des richesses, la production de biens utiles pour l'Europe. Et pour le travail, ce fut l'esclavage que l'Europe a inventé.

Or, maintenant l'affaire est loin d'être finie. C'est l'époque de l'impérialisme après celle du colonialisme. On en parle tant — que faut-il en dire? Après le départ des militaires et des missionnaires, après les révoltes de la liberté dans le monde contre l'Occident, celui-ci a conservé sa puissance en vue de l'exploitation, mais par d'autres moyens. Et son hypocrisie s'est décuplée. Il asservit les économies du tiers monde. Il affame les deux tiers de l'humanité. Il continue grâce à des contrats iniques, à la loi du marché international, à la réglementation unilatérale des prix, au jeu des droits de douane, à rapiner toutes les richesses des peuples qui croient s'être libérés, mais restent dépendants financièrement, économiquement. Il renferme tous les peuples dans un cercle infernal : ou bien maintenir les cultures industrielles que les blancs ont substitué pour leur plus grand profit, aux cultures vivrières anciennes, et l'on a une denrée exportable, mais on meurt de faim parce que l'on n'a pas sur place les denrées consommables — ou bien on tente de refaire un ensemble de cultures vivrières, mais on abandonne le coton, le café, le cacao, la canne à sucre, et l'on n'a plus rien à exporter : on meurt encore de faim parce que l'on ne peut plus rien vendre, donc rien acheter sur le marché mondial. Les sociétés multinationales s'insinuent comme des cancers dans les économies, faibles, de ces pays bouleversés, traumatisés. Toutes les richesses continuent à partir vers l'Occident par d'autres voies et ne profitent pas aux autochtones. Ceux-ci sont d'ailleurs tellement influencés par la Science et la Technique qu'ils ne rêvent que d'accomplir les mêmes prouesses que l'homme blanc. Ils vivent dans le mythe de ce progrès-là. Mais cet empire économique ne suffit pas. Il faut resserrer encore la domination. Il faut

tenir mieux les fils. Alors on démolit insidieusement les gouvernements libres que dans leur mouvement révolutionnaire
les peuples se donnent pour les remplacer par des ministres
et des présidents fantoches aux ordres des grandes puissances économiques. Dictateurs qui ne tiennent que par
l'appui de l'impérialisme occidental. Et chacun connaît
aujourd'hui l'Empire de la C.I.A., avec ses basses œuvres
et ses immenses machinations. Et, dernière agression, mais
sûrement pas l'ultime, de la part de l'Europe, l'eugénisme,
l'hypocrite volonté d'empêcher la croissance démographique
des peuples du tiers monde, l'alerte donnée à la démesure
de la population mondiale, la fameuse courbe exponentielle,
d'où l'on tire la conclusion qu'il faut arrêter tout de suite
la natalité en Inde, en Afrique, en Amérique latine...

De tout cela maintenant l'homme occidental commence à
être bien convaincu. Et du moins dans la Gauche, du moins
parmi les intellectuels, parmi les spirituels, naît de cette
« prise de conscience » un puissant sentiment de culpabilité,
un remords affreux. Voilà ce que nous avons fait. Voilà ce
que nous avons été. Nous nous regardons dans un miroir,
et nous y voyons le visage mort de faim des enfants du Ban-
gladesh, du Sahel ou de l'Ethiopie. Nous ouvrons notre poste
et nous entendons le discours accusateur venant des peuples
libérés, qui chaque jour nous redisent ces choses, avivant le
remords et tournant le fer dans la plaie. Voilà ce que nous
fûmes. Mais il ne suffit pas de remords. Une rage nous prend.
Nous transgressons la limite et passons du côté des pauvres
et des opprimés. *Transitio ad plebem* d'un nouveau genre,
mais animée du même sentiment et produisant les mêmes
effets. Nous devenons les iconoclastes de tout ce qui fut
l'Occident. Tout fut mauvais, et il faut tout détruire. Seul
l'art africain, et même peut-être la science, fut beau — seule
la politique chinoise est vraie. Seule la révolte d'Amérique
latine est juste. Nous acceptons toutes les accusations, et
nous en remettons dans une rage masochiste — le yoga et

la Marihuana, le zen et l'autodestruction, voilà la voie pour notre propre libération. Il faut que ce soient ces peuples qui viennent nous libérer de notre Tunique de Nessus. Comment se débarrasser du remords sinon en détruisant tout ce qui l'a causé.

Seule la ruine fondamentale de l'Occident, sa négation sous tous ses aspects, les plus profonds, dans sa religion, sa morale et ses vertus, peut être expiatrice. Nous sommes saisis d'une fureur purificatrice en pensant que nos aïeux nous ont légué un monde aussi atroce. Nous sommes prêts à allumer le bûcher où nous voulons brûler le cadavre découvert dans le placard de nos maisons si propres. Le grand jour de la Catharsis est arrivé. Et dans l'instant, il faut combattre toutes les entreprises impérialistes de l'Occident. La mauvaise conscience absolue a paru avec la prise de conscience. Il faut arriver à s'en débarrasser. Et cela ne se fait pas seulement sur le plan individuel par la destruction de tout le legs de l'Occident en nous, ni sur le plan culturel par la négation de toute la tradition européenne (et balançons l'histoire, le latin, le grec...), mais par des engagements concrets contre l'impérialisme de la C.I.A., contre la bête noire absolue, l'Afrique du Sud. Sans doute c'est l'Empire américain qui est le plus abominable. Mais il ne réunit pas tous les suffrages hostiles. Il y a bien des nuances. Et même en se repliant sur un nationalisme altier les peuples européens ne sont pas unanimes dans la condamnation des Etats-Unis. Tandis que l'Afrique du Sud, quel bouc émissaire merveilleux! Tout y est — le racisme, l'exploitation des Noirs par les Blancs, la production des biens ignobles : l'or et les diamants, la dictature, le moralisme, le fondement religieux du pouvoir et l'association de l'Eglise et de l'Etat, le capitalisme à l'état pur... Tout y est. Et en plus, ce qui est l'élément finalement décisif : c'est un Etat peu puissant, dont on n'a rien à craindre. Il ne produit presque aucun bien nécessaire pour l'Economie *industrielle*.

Il a une armée, forte pour faire face à des nations africaines mais nulle en face de l'Europe, il n'est enfin pas un pion important au point de vue stratégique ni diplomatique. Que l'Afrique du Sud disparaisse, cela n'affaiblit en rien la position ni de l'Occident ni de la défense contre le communisme, ni les Eglises... alors on peut y aller.

Et c'est dans ces conditions que le courageux Conseil œcuménique n'hésite pas à prendre la tête de la croisade contre l'Afrique du Sud! Taper sur le racisme et l'impérialisme américains, c'est ennuyeux : tout l'argent du Conseil œcuménique vient des Etats-Unis. Mettre en accusation l'Union soviétique à cause des persécutions contre l'Eglise ou de petits incidents comme l'invasion de la Tchécoslovaquie : impossible, cela se retournerait contre les bons chrétiens qui vivent en pays communistes. Dévoiler les exactions et ignominies que l'on pourrait trouver dans tous les pays du tiers monde (y compris ceux qui se disent de gauche), inacceptable, on ferait preuve de racisme. Non certes, le Conseil œcuménique ne peut rien dire, nulle part et à aucun sujet, sauf sur la question sans danger, le colonialisme portugais et surtout, surtout, l'abominable Afrique du Sud. Ici, on peut tout dire et tout faire sans rien avoir à redouter.

Chrétiens et non chrétiens, droite et gauche, démocrates et républicains, petits et grands peuvent désigner enfin l'Ennemi commun, l'incarnation du Mal absolu. L'Afrique du Sud est la bonne conscience que se donnent les Occidentaux à peu de frais.

Mais lorsque j'écris cela je demande au lecteur d'essayer de maîtriser son indignation : je n'approuve nullement l'apartheid, ni l'exploitation de la main-d'œuvre noire, ni la production de l'or et des diamants, je veux seulement souligner que *partout* on trouve des centaines de situations et d'organisations comparables que l'on se garde soigneusement de dénoncer, parce que cela coûterait quelque chose, cela entraînerait un risque de le faire. Au contraire, je dis que s'unir contre l'Afrique du Sud c'est manifester la lâcheté commune, le *refus* de voir le reste, et l'expression d'une mauvaise conscience latente qui habite les Occidentaux et dont ils sont tout heureux de se décharger à cette occasion. C'est le moyen de s'économiser une « révision déchirante » pour tout le reste.

E dans cette perspective, je voudrais alors préciser ma position. Et j'aimerais que cela puisse être accepté une fois pour toutes et que, lisant le reste de cet essai, on ne perde jamais de vue cette page liminaire. Toutes les accusations contre le colonialisme et l'impérialisme, je les accepte et je me situe moi-même le premier sous ce jugement. Toutes les atrocités commises dans le monde au cours des siècles par les Français, les Anglais, les Espagnols — je les porte comme un remords constant, comme un fardeau insupportable — je ne cherche en rien à me désolidariser de ce qui a été fait pas les générations passées. Je refuse de faire l'opération facile de montrer du doigt les affreux ancêtres du XVe ou du XVIIIe qui ont assassiné les Aztèques et inventé la traite des Noirs. Ce sont nos ancêtres. Leurs fautes d'hier sont les nôtres, en ce que nous vivons aujourd'hui de ce qu'ils ont récolté hier. Nous ne pouvons empêcher que notre progrès scientifique et technique ait été lié à la conquête du monde.

En effet tout homme qui dénonce avec la plus grande violence ces aïeux ou bien l'impérialisme actuel de l'Occident devrait par exemple commencer par ne plus utiliser d'essence, ne plus rouler en voiture, en bus, en train... et combien d'autres choses. C'est pourquoi je crois que nous ne pouvons pas nous dédouaner à bon compte en prenant une position anti-impérialiste idéologique, en signant des manifestes et rédigeant des proclamations enflammées. Ce faisant, nous participons à l'hypocrisie traditionnelle de l'Occident : en désignant les méchants, nous nous rangeons parmi les consciences pures. Toute notre puissance, et toute notre organisation de vie, et tous les éléments matériels de notre quotidien nous font solidaires, que nous le voulions ou non, de ce sang, de ces rapines, de ces enquêtes, de ces mépris, de ces massacres. Nous sommes les héritiers. Nous avons hérité toutes les richesses, mais aussi toutes les haines accumulées contre les conquérants.

Le poids de ces méfaits, nous devons accepter de le porter. Et nous ne pouvons que nous considérer maintenant comme des débiteurs par rapport au reste du monde.

Nous leur devons ce que nos ancêtres ont pris. Lorsqu'il y a « aide » de l'Occident au tiers monde, il y a seulement restitution et d'une partie infime de ce qui a été pris. Nous ne pouvons jamais effacer la tache de sang sur notre main, parce que *nous,* nous ne pourrons jamais faire revivre les peuples assassinés, les cultures détruites, nous ne pourrons jamais faire se retrouver les familles écartelées par l'esclavage, et que pourrions-nous donner pour couvrir les souffrances des tortures infligées... Rien de ce qui a été fait par la race blanche ne m'est étranger — et je suis obligé de l'assumer. Je ne puis me donner aucune bonne conscience. Je ne puis me déclarer innocent en déclarant les ancêtres ou les Américains coupables. Mais vais-je tomber alors dans le masochisme dans la répudiation de *tout l'Occident?* dans la négation de toute valeur de notre monde?

Précisément je me situe dans l'entre-deux : j'accepte la totalité de l'accusation. Je n'accepte pas le rejet de tout l'Occident. J'assume le mal qui a été fait, je refuse qu'il n'ait été fait que du mal. Je sais que notre civilisation est construite sur le sang et le vol, mais *toute* civilisation a été construite ainsi. En face du discours pseudo révolutionnaire, du passage spectaculaire aux côtés des guerilleros, du mépris pour la « culture blanche », du souhait exaspéré de détruire tout ce qui fut notre grandeur, j'affirme la valeur, quand même, et au-delà, de notre Occident. Ce que j'ai à dire ne s'adresse pas à la Droite, parce qu'elle reste figée, fixée dans un orgueil occidental, qui n'a rien à voir avec ce que je voudrais tenter. Je suis résolument « anticartiériste ». Ce que j'ai à dire fait partie de l'examen de conscience que l'Occident doit mener — et s'adresse forcément surtout aux intellectuels pour qui les décisions sont déjà prises, anti-impérialisme, anticapitalisme, antiracisme — et aussi anti-occidentalisme.

Il est affreux qu'un mouvement fasciste et violent ait pu se parer du titre d'Occident. Un tel mouvement est exactement en lui-même la négation de tout ce que l'Occident a tenté, a voulu être, de tout ce à quoi il a aspiré — qu'un tel groupement s'appelle Occident n'a pu se faire que dans la mesure où les autres, ceux qui portent ou cherchent les valeurs d'une civilisation, le renouveau d'une culture ont trop facilement rejeté, méprisé le legs positif du monde occidental. Nos intellectuels, sombrant dans une sorte de délire d'autodestruction ont perdu le sens de l'aventure occidentale, et des atlhètes casqués ont cru pouvoir s'en emparer alors qu'ils achevaient de les anéantir. Je n'apporterai pas un plaidoyer pour l'Occident mais je chercherai une juste mesure — c'est-à-dire que, bien entendu, tout ce que j'écrirai doit s'inscrire à l'intérieur de la reconnaissance du crime occidental — tout ce que je réfléchirai doit être entendu à partir de l'acceptation de cette accusation. Celui qui se sent indemne n'a certes rien à apprendre ici.

Mais alors je connais bien la dernière critique : dans la mesure où vous allez rappeler la grandeur de l'Occident, vous apportez des arguments à nos adversaires, vous renforcez leur position. (Et, de là on passe à l'idée du traître objectif!) Je répondrai trois choses : la première, c'est que nous sommes ici devant la grande loi de la propagande posée par Hitler : « Il ne faut jamais concéder si peu que ce soit que l'adversaire puisse avoir raison. » Mais c'est de l'ordre de la propagande. C'est faire de la propagande et entrer dans ce débat infâme que de refuser que l'adversaire puisse aussi dire des choses vraies. En second lieu, reprendre pour nous la valeur de l'Occident, reconnaître aussi le legs positif, et vouloir en être les héritiers, c'est cela qui, le mieux. peut enlever à l'adversaire ses légitimations. Et finalement, si la vérité risque de servir l'adversaire, tant pis, il faut quand même dire la vérité.

Un bref rappel. Nous avons été colonialistes et nous sommes impérialistes. Soit. Mais nous ne sommes pas les inventeurs ni les seuls acteurs de ces drames. Les invasions arabes sur tout le nord de l'Afrique noire, qu'est-ce sinon du colonialisme, et du pire. Et les invasions turques avec la création de l'Empire ottoman? Et les invasions khmères avec la création de l'Empire khmer, et celle du Tonkin avec la création de l'Empire du Tonkin? Et les effroyables, les plus effroyables de toutes celles qui eurent jamais lieu, conquêtes de Gengis Khan (qui a probablement massacré au cours de son règne soixante millions de personnes... plus que Hitler, et même que Staline!)? Et l'invasion globale des Bantous sur les deux tiers du Continent noir, avec création des royaumes par les envahisseurs. Et les invasions des Chinois sur un tiers du continent asiatique. Et les invasions Aztèques sur leurs voisins aboutissant à ce que l'on nous présente comme le si merveilleux royaume Aztèque que les affreux conquérants ont détruit, mais qui n'était lui aussi qu'une effroyable dictature sur un ensemble de peuples conquis et écrasés. Si la conquête fut si aisée, c'est que les peuples soumis se sont révoltés. Tout cela ce sont des entreprises *coloniales*. Avec destruction des cultures, des langues, génocide, déportation, création d'empires absolus... Non, en ces domaines les Occidentaux n'ont rien inventé. Et même ils n'ont pas fait pire que les autres, ni leur empire n'a été plus durable! Actuellement quelle est la plus grande puissance coloniale? c'est la Chine avec l'occupation de territoires non « chinois », Mandchourie,

Mongolie, Sinkiang, Tibet... Et ensuite c'est l'Union soviétique avec l'occupation de la Sibérie.

Bien sûr, nous n'attachons pas d'importance à tout cela,
soit parce que c'est de l'histoire, soit parce que nous pensons
que ce sont des affaires « entre Asiatiques » ou « entre Africains ».

Cependant la guerre de Hitler contre le reste de l'Europe
nous ne la considérons pas comme sans importance parce
qu'elle se passe « entre Blancs ». Et quand le Japon a envahi
la Chine, cela ne nous a pas laissé indifférents...! En réalité,
« nous ne voulons pas le savoir ». Mais au contraire, il faut
le regarder aussi. Non pas pour nous blanchir. *Cela ne nous
excuse en rien* d'être à l'égal des autres, parmi les conquérants et les envahisseurs. Mais il faut le savoir avec fermeté
parce que cela veut dire que nous ne pouvons pas espérer
une justice, une « innocence ailleurs ». Les Chinois ou les
Africains ne sont pas indemnes du péché que nous nous
reconnaissons : ils ont été tout aussi colonialistes que nous.
Ils sont (pour les Chinois) aussi impérialistes que nous. Il
n'y a pas là l'Eden promis, le lieu enfin découvert de l'accom-
plissement de l'homme. Ce n'est pas dans cet ailleurs supposé
que nous pourrions nous laver de la faute occidentale.

Et de même, nous avons été les grands esclavagistes...
oui mais comment oublier que les premiers (depuis la fin
du monde antique) ont été les marchands arabes, musulmans, qui ont établi l'esclavage en Afrique noire. Et lorsque
les Occidentaux sont arrivés, ils ont simplement profité de
la structure de réduction en esclavage de tribus noires qui
avait été mise en place pour les Arabes. On romantise beaucoup aujourd'hui sur le libéralisme et l'humanisme des
Arabes, mais cela, c'est de la littérature. A partir *des textes*
de l'Islam, tout est assurément excellent. A partir *des textes*
Evangiles aussi. La *pratique* dans les conquêtes et le commerce a été aussi atroce (au moins) de la part des Arabes
que de celle des Occidentaux. Enfin rappelons que si l'on

peut accuser l'Occident d'avoir imposé par tous les moyens possibles le Christianisme, c'est exactement la même chose pour l'Islam, et bien d'autres religions. Nous ne sommes pas en présence d'une caractéristique de l'Occident.

Que le monde entier accuse cet Occident, et que nous ayons à recevoir cette accusation et à la prendre absolument au sérieux, je l'ai dit. Mais attention, nous sommes aussi en droit de renvoyer cette image à *tous* ceux qui nous accusent, et de leur demander un peu plus de pudeur, et qu'ils fassent aussi leur *mea culpa,* et qu'ils cessent d'ameuter la terre et le ciel en clamant les péchés de l'Occident. Nous sommes tous dans le même bain.

J'aime toutes les civilisations. Comment aurais-je pu choisir le métier d'historien s'il en était autrement. Je les respecte. Je les admire parfois, dans leurs institutions, dans leurs cultures, dans leurs architectures, dans, plus profondément, l'élaboration de leurs types humains. J'aime tant ces civilisations, qu'elles soient du présent ou du passé, sociétés dites traditionnelles, que bien souvent j'ai été accusé d'obscurantisme, de passéisme, et de croyance dans le bon sauvage. Car depuis que j'ai l'âge de raison, si je puis dire, je n'ai cessé de faire la critique la plus dure de notre civilisation occidentale, sous ses deux aspects du capitalisme américain et du communisme russe. Entre les deux, l'Europe n'avait aucune existence spécifique. Au mieux le choix de qui l'absorbera. Je n'ai aucune tendresse pour cette civilisation occidentale. Mais je ne puis en rien partager le délire des intellectuels qui la piétinent avec furie pour exalter comme des modèles la civilisation islamique ou chinoise, combien *supérieures* et *meilleures.* Je pense à ces laudateurs de la société arabe, inspirés particulièrement de Rodinson, et qui expliquent sérieusement que la bataille de Poitiers de 732 à été une catastrophe — que les Francs, barbares incultes, grossiers, en remportant la victoire sur les cavaliers arabes, raffinés, intelligents, civilisés, ont plongé le monde dans la sauvagerie, et fait reculer la civilisation de huit cents ans. « Car il suffit de se promener dans les jardins d'Andalousie et de voir les capitales de rêve de Séville, Cordoue, Grenade pour entrevoir ce que serait devenue la France arrachée par l'Islam industrieux, philosophe, tolérant, aux horreurs sans nom qui dévastèrent par la suite l'ancienne Gaule asservie d'abord aux féroces bandits austrasiens, puis morcelée, déchirée, noyée de sang et de larmes, vidée d'hommes par les croisades, gonflée de cadavres par tant de guerres étrangères et civiles, alors que du Guadalquivir à l'Indus, le monde musulman s'épanouissait triomphalement sous la paix de l'égide quatre fois heureuse des dynasties ommayade, abbasside, seljoucide, ottoman... »

Cette page écrite par Cl. Farrère en 1912 (citée par Baubérot! on prend son bien où on le trouve — et assurément chacun sait le sérieux et la profondeur de Farrère!) reflète exactement la pensée d'un très grand nombre d'intellectuels français. La terreur effroyable que les populations ont ressentie depuis le VIe siècle, en face de l'invasion arabe... pure propagande. L'anéantissement des populations d'Afrique du Nord (dont ne restent plus que les noyaux berbères et kabyles) par les Arabes, pure invention. La piraterie barbaresque sur la Méditerranée (minimisée à juste titre par les historiens récents, mais non pas niée), simple détail. Les Arabes ont toujours été des pacifiques, doux, tolérants, bénins, c'est nous, les affreux Occidentaux, qui en avons fait des méchants. Simplement pour nous justifier — on néglige une minuscule question. La Conquête. Car enfin les Arabes sont partis d'un point précis et ont entrepris la conquête d'immenses territoires — plus considérables que ceux des conquérants romains. A l'est et à l'ouest. Mais voyons, conquête purement pacifique, cela va de soi! Les peuples étaient en fête en voyant arriver les Arabes et leur ouvraient

villes et maisons d'enthousiasme. On se demande où est la
légende et la propagande! Nous sommes en présence de la
conquête militaire la plus impitoyable, l'extermination de
populations entières la plus féroce, l'établissement de régimes autoritaires les plus rigoureux. Ce n'est quand même
pas une légende que ces massacres répétés des populations
arméniennes, et des Grecs, des Serbes, des Thessaliens,
des Monténégrins, des Géorgiens. Partout où les Arabes
arrivaient, ils faisaient régner la terreur — qu'ils aient eu
des poètes très raffinés, n'empêche pas que ces poètes contem-
plaient l'empalement des vaincus avec délectation — qu'ils
aient construit d'admirables villes ne devrait pas faire
oublier que c'est grâce à l'esclavage, au sens strict, qu'ils les
ont construites.

Qu'ils aient eu une civilisation très raffinée, certes. Mais
à quel prix? Exactement comme notre société du XVIIIe siècle
était fort raffinée. Une partie de cette société. Comme dans
le monde islamique. Qu'il y ait eu, dans certaines parties
de l'Empire arabe, un développement économique, oui, mais
en faisant aussi proliférer la misère : et cela ne date pas de
l'invasion européenne! Dès le XIXe siècle, les pays arabes
étaient dans le chaos économique et parfois politique —
quant aux guerres intérieures, elles ne sont pas l'apanage de
l'Europe! l'Islam a été aussi déchiré! Il suffit de penser à la
façon dont les envahisseurs turcs ont traité les autres peuples
arabes, là où ils sont entrés! Le brave Farrère (et ses succes-
seurs) a l'air d'oublier que l'Empire ottoman s'est construit sur la ruine de l'Empire seljoucide qui fut plongé dans
le sang par les Turcs! Je veux bien que l'on oppose dans
des articles savants le pacifisme et la tolérance de l'Islam,
d'après le Coran — à la brutalité des chrétiens. Mais c'est
toujours le même vice intellectuel que l'on rencontre ici :
on oppose des principes (admirables-islamiques) et des conduites (affreuses-chrétiennes). Or, ce n'est pas sérieux. Il
faut comparer principes à principes (l'Islam et l'Evangile)

et puis : conduites à conduites (les musulmans et les chrétiens). Je crois qu'en définitive, les minorités n'ont pas été plus maltraitées en Occident que dans le monde islamique. Le bûcher de Monségur n'est pas pire que les pyramides de têtes coupées des sultans abbassides. Mais le délire anti-occidental prend toutes les formes. Nous avons su par exemple que toute la science et la pensée modernes dérivent des Africains. Le raisonnement était simple : notre religion vient des Juifs — or, les Juifs l'ont prise où? à l'Egypte. Notre science vient des Grecs, or les Grecs l'ont prise où? en Egypte. Et les Egyptiens sont de race noire. Ce sont de vrais Soudanais. (Il est aisé de se convaincre du caractère négroïde des Egyptiens en regardant les peintures et les momies!)

Ergo, ce sont les Africains noirs qui sont à l'origine de toute pensée, de toute science. Pourquoi, ne les ont-ils pas développées eux-mêmes? pourquoi ne retrouve-t-on pas cette science et cette pensée sur les bords du Zambèze ou du Limpopo? c'est de toute évidence parce que les envahisseurs blancs les ont supprimées! Il est vrai que maintenant d'autres Occidentaux nous expliquent que l'origine de toute la pensée occidentale réside chez les Arabes. Chacun sait que la philosophie c'est Averrhoes, et Avicenne et Alkindi, et que les mathématiques viennent tout entières des mathématiciens arabes... (ne dit-on pas d'ailleurs « chiffres arabes »). Peu importe Platon et Aristote, Archimède et Pythagore. Tout cela n'est rien à côté de la vraie origine. Enfin, Africains ou Arabes, tout est bon, pourvu que ce ne soient pas les Européens qui aient été les créateurs.

L'autre pôle, la Chine, elle aussi tellement plus civilisée que l'Europe, ne peut guère prétendre avoir été l'initiatrice de notre civilisation. Tant pis. Il est de toute évidence aussi que ce qu'il y a eu de rétrograde, d'affreux, de barbare en Chine vient de la colonisation occidentale. Ecrit noir sur blanc dans *Le Monde* en septembre 1974. Les pieds bandés des femmes chinoises? Les tortures savantes des

Seigneurs de la guerre? La rigidité bureaucratique du mandarinat? Mais voyons, tout cela est d'importation occidentale! et puisque je fais allusion aux femmes, on sait à quel point notre civilisation est coupable envers la femme. Méprisée, esclavagée, objectivée, etc. alors que partout ailleurs! Et l'on rappelle la grossière discussion au xiiᵉ siècle de savoir si la femme a une âme — débattue dans un Synode — et de rire. Mais pardon — qui a dit « la femme est le champ que l'homme ensemence » — l'Islam — qui a la position la plus avilissante, la plus abrutissante envers la femme? l'Islam. Qui en a fait un véritable objet? et le débat sur l'âme de la femme! « Tu demandes donc qu'une femme n'a ni âme ni intelligence? Comment peux-tu le demander? Bien sûr qu'elle n'en a pas. Une créature sans âme ni intelligence n'a pas de foi. Ni le Paradis ni l'Enfer n'attend la femme. A sa mort elle se désintègre simplement en poussière... » (Kurban Saïd) Et le progressiste colonel Kadafi déclarait en novembre 1973 que « la Physiologie démontre l'infériorité éternelle de la femme ». Tel est le véritable et constant enseignement de l'Islam, toujours en vigueur chez les orthodoxes. Et la fameuse question posée par les théologiens chrétiens, qui ne correspond ni à l'enseignement biblique ni à celui des grands théologiens et Pères de l'Eglise, l'a été précisément à cause du trouble provoqué en Occident par l'affirmation de l'Islam dont la pensée commençait à pénétrer en France.

Encore une fois, je ne critique ni ne rejette les autres civilisations et sociétés, j'ai une grande admiration pour des institutions bantous, et pour d'autres, chinoises, pour des inventions et des poèmes et des architectures arabes. Je ne prétends pas que l'Occident soit supérieur. Je crois qu'il est absurde de prétendre dans ces domaines à une supériorité quelle qu'elle soit! par rapport à quel critère, par rapport à quelle valeur? Et sans doute le plus grand tort de l'Occident a été depuis le xviiᵉ siècle de croire à sa supériorité absolue dans tous les domaines. Mais ce contre quoi je proteste, c'est contre l'attitude absurde des intellectuels occidentaux, dans leur haine de ce monde-ci et leur valorisation inconséquente de tous les autres! Car enfin, si en Chine on supprime les bandelettes des pieds des femmes, si en Algérie, au Maroc, en Turquie on a procédé à une libération de la femme, cela vient d'où? de l'Occident exclusivement. Les Droits de l'homme ont été inventés par qui? Et il en est de même pour la suppression de l'exploitation — le passage au socialisme, il vient d'où? d'Europe, et de là seulement. Les Chinois comme les Algériens s'inspirent de la pensée occidentale quand ils avancent vers le socialisme. Marx n'était pas chinois, et Robespierre n'était pas arabe! on l'oublie trop facilement. Le monde moderne entier, pour le pire et le meilleur, vit du modèle occidental, non pas imposé mais adopté d'enthousiasme.

Je ne chanterai pas les bienfaits et les grandeurs de cet Occident. Je ne ferai surtout pas l'apologie des biens matériels que l'Europe aurait apportés aux colonies. On a trop souvent entendu cette légitimation : nous avons fait des routes, des hôpitaux, des écoles, des barrages, nous avons foré les puits de pétrole... De cette invasion de la société technicienne je ne dirai rien précisément parce que cela me paraît le plus grand crime de l'Occident. Je l'ai dit ailleurs. Le plus grave est que nous ayons exporté chez ces peuples notre esprit technicien, notre soi-disant science, notre concept de l'Etat, notre administration, notre idéologie nationaliste... c'est cela qui plus sûrement que tout le reste a détruit ces cultures. C'est cela qui a bloqué l'histoire du monde sur un rail. Mais est-ce donc tout ce que nous pouvons dire de l'Occident? l'essentiel, le centre, l'irrécusable, c'est que l'Occident a le premier nommé dans le monde l'individu et la liberté. Alors, je crois que rien ne pourra

nous enlever cette gloire, et quelles que soient nos négations
et nos trahisons dont nous aurons à parler — quels que
soient nos crimes par ailleurs, nous avons fait accomplir là
à l'ensemble de l'humanité un pas gigantesque qui l'a fait
sortir de son enfance. Et comprenons bien que si maintenant, partout dans le monde il y a cette levée de boucliers
contre l'Occident, ces accusations, ces mouvements de libération, où donc ont-ils pris leur source? uniquement dans la
proclamation de la liberté que l'Occident a diffusée dans
le monde. Il a apporté le mouvement qui produit la volonté
de libération, lui et lui seul, et qui provoquait sa propre
contestation par les autres. Et si aujourd'hui on montre d'un
doigt indigné les esclaves et les tortures... où donc a-t-on
pris l'origine de cette indignation? Quel monde, quelle
culture a proclamé que l'esclavage était inacceptable, que
la torture était un scandale? ni l'Islam, ni le Bouddhisme,
ni Confucius, ni le Zen, ni les religions ou les morales africaines et indiennes... seul l'Occident a déclaré ce caractère
intangible de la personne humaine, la valeur de l'individu,
le « seul » en face de tous. On ne l'a pas mis en pratique?
On pourrait en discuter les degrés. Tout le monde en Europe
ne l'a pas mis en pratique tout le temps. Mais dire l'inverse
serait strictement faux. Et le problème n'est d'ailleurs pas
là. Il est que l'on a posé des valeurs et des projets qui diffusés
dans le monde entier, y compris par la conquête, ont amené
l'homme à exiger sa liberté, à se poser lui en face de tous et
à s'affirmer comme un individu. Je n'aurai pas ici l'outre-
cuidance de prétendre « définir » la liberté de l'individu.
Nous savons bien ici encore, par le métalangage, de quoi
nous parlons, au-delà des définitions. Il reste quand même
exact que, si nous regardons l'évolution des sociétés, toutes
ont été d'une structure parfaitement intégratrice vers des
assouplissements et des éclatements — d'une indistinction
complète des membres vers une individuation, d'une « commune originelle » vers un agrégat d'hommes séparés —

d'une absence totale de liberté autant que d'indépendance vers un dégagement progressif de cette liberté, une affirmation du soi porteur de cette exigence de liberté. Si l'on veut trouver une ligne commune à toutes les histoires de toutes les sociétés, c'est celle-là, et celle-là seule. Bien entendu, cela ne s'est pas fait partout de la même façon et à la même vitesse. Cela ne s'est pas joué sans des retours en arrière, des reprises du groupe sur ses membres, du non sens de la liberté aussitôt perdue, niée, déformée que conquise... Mais quand l'homme invente ses premiers outils, c'est l'expression d'une volonté de se rendre libre par rapport à la nature. Quand il invente son langage, c'est l'expression d'une volonté de se rendre libre des choses, par la symbolisation et la distanciation. Quand il invente l'art, la magie et la religion, c'est l'expression d'une volonté de se distinguer, progressivement de se différencier par rapport à son groupe. La volonté? assurément une volonté ni claire, ni consciente, ni explicitée — on ne nomme pas cet état que l'on cherche. Il n'est désigné par personne. Mais, c'est une lente propulsion instinctive. C'est une avance aveugle, mais aussi forte, aussi vitale que le flot de sang charrié dans les artères. Il faut que cela tourne. Il faut que cela avance. L'homme cherche à atteindre sa stature. Il est debout, il parle. Il ne peut que se vouloir différent de chacun des autres, comportant son autonomie, ne supportant ni les contraintes ni les limites. La liberté toujours inversée : aussitôt conquérant que libre! Et, voici l'apport décisif de l'Occident. Dans ce lent cheminement historique, inconscient et spontané, personne n'a jamais fixé un but, personne n'a jamais *dit* ce que l'on voulait, ni même exprimé ce que l'on était en train de faire. Ce que l'Occident a découvert (et non par une étude socio-historique, mais dans une proclamation!) c'est justement le sens de tout cela, ce qu'il a fait, c'est d'exprimer ce que l'homme cherchait. Tout homme. L'Occident a rendu conscient et volontaire le projet de l'homme. Il a fixé un objectif et l'a nommé, liberté — plus tard, individu.

Il a orienté les forces obscures. Il a désigné la valeur à partir de laquelle l'histoire avait un sens, et l'homme devenait homme.

Il a tenté d'appliquer méthodiquement, consciemment tout ce que l'on pouvait tirer de la liberté. Les Juifs les premiers ont fait de la liberté la clef de l'histoire et de la création. Leur Dieu est dès l'origine caractérisé comme le libérateur. Ses grandes œuvres sont dictées par la volonté de rendre son peuple libre, et au travers de lui tous les hommes. Et ce Dieu lui-même était compris comme souverainement libre (ce que l'on a souvent confondu avec l'arbitraire ou avec la Toute-Puissance). Il y avait là un apport radical et une invention explosive. Ce Dieu n'avait aucune commune mesure avec tous les dieux des religions de l'Orient ou de l'Occident. Et la nouveauté, c'était justement l'autonomie du Seigneur. Ensuite et dans le même mouvement, les Grecs ont affirmé la liberté dans la pensée comme dans la politique. Ils ont consciemment formulé les règles d'une pensée libre, les conditions de la liberté de l'homme, et les formes d'une société libre. D'autres vivaient déjà en « cité », mais personne n'avait encore voulu avec autant d'acharnement que la cité soit libre à l'égard des autres, et que les citoyens soient libres à l'intérieur de la cité. Et la troisième étape est acquise avec les Romains qui inventent la liberté civile, la liberté institutionnelle et qui ont fait de la liberté politique la clef de toute leur politique (leurs conquêtes étant en vérité et sans hypocrisie l'expression de leur volonté de libérer les peuples soumis à des dictateurs et des tyrannies qu'ils jugeaient infamantes : oui, il faut continuer à lire cette histoire de cette façon, les motivations économiques ayant *aussi* et *secondairement* joué, mais l'interprétation de l'histoire par des motifs économiques est rigoureusement superficielle et insuffisante. On ne fait pas d'histoire sur la base du soupçon! on se borne à projeter ses propres fantasmes).

Bien entendu je sais que pour chaque cas, il y avait la part de nuit, la liberté provoquait des guerres et des conquêtes, elle reposait sur des esclavages... mais je ne parle pas ici de l'excellence des réalisations de la liberté, je cherche seulement à redire (après d'autres!) qu'avec ce début de l'histoire de l'Occident nous assistons à la prise de conscience, à l'explication, à la proclamation de la liberté comme Sens et comme Fin.

Personne n'a jamais visé la liberté comme ceux-là, représentants et promoteurs de tout l'Occident. Et ce faisant, ils exprimaient ce que la totalité de l'humanité cherchait confusément. Or, on assiste dans cette démarche à une accession progressive du concret : des Juifs aux Grecs, des Grecs aux Romains, il n'y a pas approfondissement d'une prise de conscience, mais recherche d'une expression concrète plus poussée : comment faire pour que la liberté sorte du domaine des idées pour entrer dans celui des institutions, des comportements, de la pensée...

Aujourd'hui c'est le monde entier qui se trouve héritier de l'Occident. Ainsi nous sommes en présence de ce double héritage, nous Occidentaux sommes héritiers à la fois du mal que l'Occident a fait aux autres, mais en même temps de la conscience de la liberté, du projet de liberté. Les autres peuples sont héritiers du mal qu'ils ont subi mais en même temps ils ont été lancés dans la prise de conscience de la liberté. Tout ce qu'ils font aujourd'hui, tout ce qu'ils cherchent c'est exactement l'expression de ce que le monde occidental leur a appris.

La liberté qui s'est exprimée sur tous les plans, finalement, qui a été tentée partout, a conduit dans d'étranges chemins, a produit des conséquences inattendues — que la Technique soit un effet de liberté cela est évident. Mais elle s'est révélée en même temps la grande négatrice et destructrice de cette liberté.

On a voulu la produire en politique, et cela a été le fait

du libéralisme occidental. Mais le libéralisme politique, économique, juridique a été la plus sûre destruction de la liberté. Marx l'a parfaitement montré. La liberté circonscrite et limitée dans un tout petit domaine où se mouvoir, comme le propriétaire absolu de son jardin pouvait y faire ce qu'il voulait mais sans en franchir les grilles... Et la liberté conquise dans la politique produisant nécessairement et chaque fois l'Etat plus puissant, plus abstrait, plus total... Etrange affaire : la conscience de la liberté, la volonté de l'exprimer concrètement a toujours donné comme résultat l'inverse de ce que l'on désirait. Cela nous introduit dans le conflit spécifique de l'Occident, qui devient maintenant le conflit du monde entier.

Et de la même façon la rupture et la contradiction se sont introduites dans le cœur de l'individu. La liberté a produit la mise en question incessante, rien n'est jamais acquis, tout est sans cesse questionné dans l'inquiétude et l'insatisfaction. Elle a produit la mauvaise conscience, je suis seul devenu responsable de ce que je fais mais aussi de tout ce qui se passe, et je ne puis vivre à ce niveau de tension. Je n'accomplis jamais, j'ai l'intention d'accomplir — ce qui conduit très vite à l'auto-accusation. Sans cesse l'Occident, en fonction de la liberté, proclamera des valeurs, des projets, des signes et s'engagera dans des aventures inverses. Et non seulement le mouvement est tel, mais bien plus, il est paroxystique. Cela encore est un effet de la prise de conscience de la liberté. Dans chaque cas, il faut aller jusqu'au bout. La liberté se donne carrière de façon illimitée, elle engage l'homme à porter son action à l'extrême. Ce n'est pas un hasard si le théologien de la liberté chrétienne est en même temps celui qui proclame *pecca fortiter*! Tout ce que l'homme trouve à faire, la liberté l'engage à le faire fortement. Tout chemin qu'il entrouvre, il lui faut le suivre sans retour.

Mais avec combien de retours de conscience et d'auto-

accusations. Car la mauvaise conscience est indétachable
de la liberté. Elle est retour sur soi, jugement de soi sur soi,
ce qui ne peut se faire que si l'on est, si l'on prétend être
libre. Il n'y a pas de liberté sans regard critique porté sur soi-
même. L'aliénation commence lorsque l'on devient monolithique, l'homme d'une seule pièce — d'une seule idée — le
maniaque. Et qui objective les autres, mais devient lui-même
objet pour les autres. Alors règne l'aliénation bien plus que
dans le mécanisme économique, ou plutôt, ce dernier sera
l'expression actualisée de l'autre, combien plus essentielle.
Et c'est l'excès de la liberté avec le retournement critique
qui se trouve à l'origine de la pensée dialectique, à l'origine
de l'interprétation dialectique de l'histoire, c'est-à-dire de
l'histoire elle-même. Ici encore ce n'est pas un hasard si le
peuple initiateur de la liberté, les Juifs, a été aussi l'inven-
teur de la pensée dialectique, fondamentalement, avant les
Grecs. Or, cette dialectique est bien plus qu'une méthode
philosophique, elle n'est peut-être pas inscrite dans les
choses, elle n'est peut-être pas le mouvement même de l'histoire, mais elle est assurément l'expression de ce que l'Occident a vécu en tant qu'histoire à partir de la liberté et avec
le projet de la liberté. Marx n'est pas le fondateur. Rien ne
commence avec lui. Il est lui aussi l'héritier de ce grand
mouvement, typique, spécifique de l'Occident. Rien dans
sa pensée ne s'explique ni ne se justifie si elle n'est supportée
par le mouvement de la liberté, par l'exigence et l'absolu de
la liberté. Le socialisme relaie ce qui a été alors lancé. Car
il n'y a de socialisme que vers la liberté, de même il n'existe
qu'en fonction d'individus. Il ne peut s'agir d'une fusion
dans un collectivisme d'indistinction. Or, c'est précisément cette contradiction de la liberté qui s'exprime dans
toutes les œuvres de l'Occident. Il a tout porté au paroxysme.
La grandeur et l'ignominie, l'utilitarisme et la charité, la
générosité et l'exploitation, la dévastation et la mise en
valeur, le gaspillage et l'économie, le travail et le loisir, le

pillage et la rationalité, le luxe et l'ascétisme, la conquête et l'introversion.

L'Occident a inventé l'amour et cela était bien un autre visage de la liberté, cependant qu'il mettait en œuvre les moyens de puissance et de domination que personne n'avait encore connus. Et la civilisation la plus rationnelle qui ait jamais été, portait en même temps toute chose à son exaltation suprême. Dionysos et Apollon sont indissociables, mais tous deux expriment justement le mouvement de la liberté inventé par l'Occident.

De la même façon et dans la même foulée, c'est l'Occident qui a amené la division des sociétés et du monde en riches et pauvres. Toutefois prenons garde — je ne dis nullement qu'il n'y avait pas de riches et de pauvres avant et ailleurs! Mais tout était organisé de telle façon que ces statuts soient à la fois stables, fixes, par exemple grâce à la hiérarchie crue, reçue, et de même, ces conditions étaient de l'ordre du destin, de la volonté divine inchangeable. L'Occident a d'une part détruit les structures hiérarchiques, d'autre part vaincu l'idée de destin. Et montré aux pauvres qu'il n'y avait plus là une fatalité — on en donne souvent la gloire à Marx. Quelle erreur! C'est le christianisme qui a détruit l'idée du destin et de la fatalité. Sans doute il y a eu aussi chez des chrétiens l'utilisation de la « volonté de Dieu » qui édictait un ordre du monde et distribuait richesses et misères. Mais c'est une déviation de la ligne fondamentale (comme Staline par rapport à Marx), et de toute façon cela ne pouvait pas supprimer l'affirmation centrale de la liberté. Marx a repris la ligne chrétienne, a rétabli l'authenticité du message, mais il est impensable sans l'infrastructure chrétienne. Il est parfaitement représentatif de l'Occident dans toute sa démarche. Ainsi, à partir de cette prise de conscience, les pauvres ont *su* qu'ils étaient pauvres, ils ont su que ce n'était pas inévitable. Et les organismes sociaux qui permettaient d'éviter cette question étaient aussi en cause et ruinés intérieurement.

Et c'est pourquoi l'Occident a finalement lancé la révolution. Avant le développement de la pensée occidentale, hors d'elle, il n'y a pas de révolution. Il faut l'individu, et la liberté, et le paroxysme et la contradiction pour que la révolution naisse dans une société. Nulle part il n'y a de révolution (et je connais un peu d'histoire!) et pas même en Chine, avant la diffusion du message occidental. Et les révolutions actuelles, chinoises ou amerindiennes sont des filles directes, immédiates, spécifiques du génie occidental. Le monde entier est à l'école de cet Occident qu'il répudie.

Nous avons une merveilleuse illustration de la perversion de la liberté, Liberté inventée par l'Occident et ridiculisée par lui maintenant, dans le film admirable de Bunuel, *le Fantôme de la Liberté,* dont il semble hélas qu'aucun critique n'ait vu le sens! Celui-ci pourtant est clair si l'on fait dériver rigoureusement le film des premières images. On part de la grande toile de Goya sur *les Fusillés de Tarragone,* mais au lieu que leur cri soit « Vive la Liberté », c'est « A bas la Liberté ». Et dans le film ceux qui sont fusillés sont des moines, des nobles, des officiers, « l'Ancien Régime ». Quelle liberté? ont demandé certains critiques. Mais de toute évidence la liberté des armées « républicaines » (impériales!) françaises, qui, on le sait, envahissaient l'Europe pour apporter à tous les peuples la liberté (c'est-à-dire la destruction de l'ancien ordre et des monarchies). Cette liberté, qui s'exprime d'abord par le fait de fusiller les opposants, s'incarne aussitôt après par le triple geste de l'officier français : bouffer des hosties consacrées, baiser la Statue d'Elvire, profaner la tombe d'Elvire. Liberté de transgression. Il n'y a plus de tabou, il n'y a plus de respect stupide, ni religieux ni humain, on est libre. C'est de cette « liberté » là, des conquérants, que les fusillés de Tarragone ne veulent pas. Liberté sans frein, sans raison, sans loi. On fait n'importe quoi. Et le film est tout entier construit à partir de là et montre ce que cela donne. Le premier sketch, les rêves étranges dérivent de la première impulsion : l'horreur de la symétrie et de l'équilibre (l'acteur met sur la cheminée en antisymétrie une énorme mygale), goût de l'incohérence. Puis réactions du père et de la mère contre les photos « obscènes », données par un vicieux à leur petite fille : or ces photos, jugées par les parents scandaleuses et pornographiques, sont des reproductions des plus beaux monuments européens : ils sont « obscènes » au sens étymologique, mais ne peuvent être scandaleux que par la négation de l'art traditionnel et de la relation au passé : dans cette famille, on remplace ces horreurs par le comble de goût, de l'esthétique, de la beauté : d'énormes araignées. Liberté esthétique hors des canons. Relativisation de tout, on peut se réunir pour déféquer ensemble et très mondainement, considérant que manger est honteux et vil, c'est une pure affaire de convention sociale, manger ou déféquer, c'est pareil, sans aucune raison de différencier l'un de l'autre. Liberté à l'égard des finalités : le médecin trouve les analyses et radios de son malade *excellentes* et satisfaisantes simplement parce qu'elles confirment son diagnostic; il ne tient aucun compte de son malade, ayant totalement oublié la finalité de son travail. De même, les parents lancent toute la police, à la recherche de leur fille qu'ils ont à côté d'eux. Et la police qui voit la fille, n'hésite pas une seconde : ils sont là pour chercher les personnes disparues, ils se précipitent à la recherche, sans tenir compte une seconde du fait que la fille est là : aucune question de finalité du service, aucune relation entre le réel et la machine administrative. De même, les gendarmes suivent un cours de formation prévu par les autorités, mais ces mêmes autorités vident la salle par des appels successifs : l'important est que le cours soit affiché, qu'importe s'il n'y a personne pour le suivre. Liberté à l'égard du *Sens* de ce que l'on fait! Liberté sexuelle, où l'on nous montre dans l'auberge un ensemble de perversions sexuelles, très vantées par les intellectuels et réduites ici au grotesque et au minable. Ce qu'elles sont en réalité. Car la grande force du film, c'est justement d'être sans cesse proche du réel, de forcer à peine pour aboutir au grotesque, de tirer les conséquences absurdes de principes très magnifiques...

Réel : le condamné à mort est aussitôt libéré, félicité, on cherche ses autographes. Cela paraît idiot. Mais non. C'est bien notre société, qui a des codes, des lois, qui condamne le criminel, mais qui en même temps n'ose pas exécuter ce qu'elle dit, et bientôt au contraire porte le criminel au sommet, en fait sa gloire, il suffit de rappeler l'affreux Jean Genet et le misérable Papillon. Voilà nos héros — de la Liberté!

Le criminel de la tour du Maine tire au hasard dans la foule — Liberté. On le condamne et on le félicite. Liberté. Le préfet de police arrêté par des flics, cela n'a plus aucune conséquence pour personne. Il y a alors deux préfets de police qui se congratulent, cela n'a pas davantage d'importance : en réalité tout est libre, il se passe n'importe quoi (la morte qui téléphone de son caveau au préfet de Police), on fait n'importe quoi (les flics arrêtent le Préfet), tout peut se faire indifféremment. Mais finalement les deux préfets réunis vont fusiller la liberté, en allant à Vincennes, où il y a confusion entre l'université de Vincennes et le zoo. Ainsi nous avons un prodigieux procès de la liberté absurde, de la liberté sans limite. La relativisation de toute règle, l'absence de raison, l'absence d'ordre, l'absence de cohérence donnent effectivement l'absurde et le grotesque. Bunuel nous montre terriblement que, ce qui est si vanté intellectuellement comme l'Absurde, est vraiment concrètement absurde et imbécile, dans la vie réelle. Que ce qui est si vanté intellectuellement comme absence de cohérence pour l'art, la poésie, se traduit effectivement par l'incohérence idiote et le comique. Que l'admirable liberté sexuelle c'est la réalité minable et grotesque. Autrement dit, il montre la réalité visible des idées exaltantes de nos intellectuels avancés. Ce film est l'anti Georges Bataille! Et il oppose à cette liberté imbécile la liberté finale des animaux, leur grâce, et aussi leur incompréhension (l'autruche finale) devant les conduites stupides de la prétendue liberté humaine. Car pour l'homme, il n'y a de liberté que s'il y a raison, cohérence et finalité.

Je sais bien que la mode est autre. Les bien-pensants de l'intelligentsia parisienne insistent lourdement aujourd'hui sur l'ethnocentrisme européen qui a déformé toutes les perspectives, voilé toutes les réalités. Les Européens exaltés de leurs réussites et de leurs conquêtes ont ignoré les admirables civilisations qui ont existé hors d'Occident, ont méprisé les autres peuples — simplement parce qu'ils étaient vaincus. Et l'on met en valeur tout ce qui a été fait ailleurs. Il ne s'agit pas de le nier, le moins du monde. Assurément ailleurs, il y a eu des empires et des arts, des littératures et des religions, des techniques et des philosophies. Bien évidemment. Il ne s'agit pas non plus pour moi de dévaloriser cela, en essayant d'établir un barème des civilisations pour prouver que celle de l'Europe était finalement mieux — qui pourrait évaluer dans l'absolu une morale ou une sculpture! Mais ce qui me paraît fondamental c'est de ne pas aujourd'hui faire le cheminement inverse de l'erreur ancienne : « Après tout l'Europe ne vaut pas grand-chose, comparée à la Chine. »

Combien de fois ne glose-t-on pas aujourd'hui la formule célèbre sur l'Europe qui n'est qu'un petit promontoire de l'immense continent asiatique. Bien sûr, la civilisation calculée au kilomètre carré... Et le cerveau n'est après tout qu'un petit appendice de 1 500 grammes au mieux pour quelque soixante-dix kilos de bonne viande... je veux seulement rappeler ici que l'Occident a apporté au monde un certain nombre de valeurs, de mouvements, d'orientations

qu'il a été seul à avancer. Personne d'autre ne l'a fait. Je
veux ensuite rappeler que le monde entier actuellement vit,
et je dirais presque exclusivement, de ces valeurs, de ces
idées, de ces impulsions. Il n'y a rien d'original dans le *nouveau* qui se crée en Chine, en Amérique latine ou en Afrique :
tout cela est le fruit, la conséquence directe de ce que l'Occident y a apporté. Dans les années cinquante il était de mode
de dire que « le tiers monde entrait maintenant dans l'histoire ». Bien entendu, il y avait eu aussi une histoire de
l'Afrique ou du Japon avant! Mais ce qui n'était pas faux
dans cette formule, c'est que maintenant ces peuples accé-
daient au mouvement de la liberté créatrice de l'histoire, et
à la dialectique du processus historique. En réalité, cela veut
dire que c'est l'Occident qui a mis en mouvement le monde
entier. Il a lancé le déferlement qui peut-être le submergera.
Car, évidemment, auparavant, il y avait eu des grandes muta-
tions, des grandes migrations des peuples. Il y avait eu des
recherches incohérentes de puissance et l'édification d'empires gigantesques parfois sans lendemain, mais la nouveauté
de l'Occident fut de mettre en mouvement le monde dans
tous les domaines, sur tous les plans : la cohérence de tous
les phénomènes, c'est en même temps les idées, les armées,
l'Etat et la philosophie, les techniques et l'organisation
sociale, tout est lancé ensemble dans cette mutation générale qu'il a provoquée. Que ce soit bien, que ce soit mal,
je n'ai pas à en juger, je constate seulement que tout initiative est venue de l'Occident, que tout commencement a
été posé par cet Occident, je constate que les peuples sont
restés dans une relative ignorance, dans un hiératique repos
jusqu'à cette mise en route provoquée par la rencontre avec
l'Europe.

Que l'on ne vienne pas nous rebattre les oreilles avec la
grandeur de la civilisation chinoise ou japonaise. Elles ont
existé assurément, mais comme une larve, un embryon, une
approximation, une tentative. Elles ont toujours porté sur

un aspect de l'ensemble social ou humain, et ont tendu vers l'immobilité. Parce qu'il était mû par la liberté, parce qu'il avait dégagé l'individu, seul l'Occident a lancé le tout dans cette course que nous voyons. Entendons-nous bien : encore une fois je ne dis pas que la science européenne a dépassé la science chinoise ni l'efficacité de ses armées, celle des armées japonaises, je ne dis pas que la religion chrétienne était supérieure au bouddhisme ou au confucianisme, je ne dis pas que l'organisation politique française ou anglaise était plus parfaite que celle des Han, mais simplement que l'Occident a inventé, ce qui ne se trouve nulle part ailleurs, la liberté, l'individu, et que c'est cela qui a tout mis en mouvement par la suite. Même les religions les plus solides ont dû évoluer à ce contact. Il ne faut pas oublier que l'hindouisme, qui a enthousiasmé si fort les vieilles filles anglaises en 1930 et aujourd'hui la jeunesse ardente et révolutionnaire, n'est rien de plus qu'une mise à jour de la tradition hindoue au contact de l'Occident. Telle est cette aventure proprement incroyable. Et ce n'est pas une puissance économique, ni l'explosion technique qui font l'Occident. Cela aussi, bien sûr. Mais ce n'est rien en comparaison de cette mutation, qui est l'aboutissement, l'exaucement et l'histoire des civilisations. Et c'est pourquoi je puis choisir sans hésiter cette liberté dans la panoplie des valeurs, car la justice, l'égalité, la paix, nous les trouvons partout. Chaque civilisation arrivée à un certain niveau a prétendu justement accomplir justice ou paix. Jamais l'individu, jamais consciemment la liberté qui ne fut nulle part nommée. Mais si cette importance décisive est bien certaine, elle entraîne deux conséquences tragiques. La première, c'est que ce sont les œuvres de l'Occident qui le jugent — ou plutôt même : les œuvres de l'Occident sont ce qui le juge. Car ayant proclamé cela, il a en tout fait le contraire pour les autres. Il a assujetti, conquis, exploité, en ne cessant de dire « liberté ». Il a fait prendre conscience aux peuples de leur servitude en durcis-

sant celle-ci mais en désignant la liberté. Il a fait éclater
les structures sociales, les tribus et les clans, réduisant les
hommes désormais séparés à un prolétariat mondial, en ne
cessant de parler de la grandeur de l'individu — son autonomie, son pouvoir de décider par lui-même, son aptitude
au choix, sa polyvalence. Mais ce contraire était lui-même
la contre-épreuve du sérieux de l'affirmation. C'est parce
que l'esclavage a régné que la prédication de la liberté a
cessé d'être un discours agréable pour devenir une sauvage
exigence, la liberté ou la mort. C'est parce que les hommes
ont perdu l'innocence du groupe dans lequel ils se trouvaient
bien au chaud d'une matrice maternelle qu'ils ont voulu
dorénavant construire, en tant qu'individus, leur société nouvelle, leur république, leur socialisme. Là encore l'inversion
des œuvres par rapport au discours a provoqué la prise au
sérieux de ce discours par tous les peuples qui se sont
retournés contre celui qui avait dévoilé une si profonde
contradiction. Et le socialisme, le marxisme ne sont justement qu'un avatar de cette contradiction. Etrange fatalité
semble-t-il, comme si chacun devait tuer ce qu'il aime. Il
n'était pas possible qu'un Occident bienveillant et désintéressé se borne à éveiller les peuples du sommeil de l'enfance.
Il fallait que d'abord il les plonge dans la plus affreuse nuit
pour qu'ils veuillent eux-mêmes sortir dans la lumière et
se chauffer au feu que l'Occident avait allumé.

Or, cela veut dire, et c'est la seconde conséquence, que,
l'Occident mis en cause, il ne reste rien. Ces peuples ne
peuvent plus construire leur petit système nouveau, leur
culture autonome, leur expérience spécifique : tout dépend
de l'Occident — pas seulement en vivres et en machines.
Tout dépend effectivement de l'impulsion donnée. Et l'on
peut dire que cette confiscation est un drame, une faute,
l'engagement dans le cours d'une nouvelle fatalité. Mais il
en est ainsi. Personne ne peut plus prétendre choisir une voie
autonome. Il est bien remarquable de voir aujourd'hui nos

intellectuels se bercer d'illusion au sujet de la Chine qui
aurait inventé un autre chemin. Mais comment ne pas voir
qu'il s'agit seulement d'un factice, et que tout y est d'inspiration occidentale, autant le marxisme que la technique —
et surtout le mouvement lui-même. Avoir fait sortir la Chine
du système féodal et mandarinal, ce n'est nullement l'Histoire ni la merveilleuse initiative de sages chinois inventant
leur propre mouvement, se situant à l'origine : ils ont été
formés, orientés, provoqués par l'Occident, et ce sont des
idées occidentales qui animent tout ce grand ensemble. (Mais
je n'ai pas besoin de redire encore que cela ne produit pas
l'identique, puisque le ressort est la découverte de la liberté
comme de l'individu... Mais oui, en Chine aussi, tel est bien
le ressort!... et que de ce fait je n'ai jamais prétendu que la
Chine de Mao soit une redite de la Grèce de Périclès ou de
l'Angleterre victorienne! S'il en était ainsi, ce serait *alors*
que l'invention centrale de l'Occident ne l'aurait pas inspirée!) Tous les peuples maintenant vivent de cet héritage,
et sur cette lancée : remettre en cause l'un et l'autre, les
nier, récuser l'Occident, c'est enlever à tous les peuples du
monde leur *possibilité d'être* dorénavant. Bien entendu on
peut remettre les nations européennes en cause, mais non
plus leur civilisation. Le monde est devenu occidental en
s'unifiant. Et ce qui atteint l'Occident, atteint le monde
— de même que, dans un autre ouvrage, je démontrais que
la révolution nécessaire ne pouvait pour le monde s'effectuer
encore que dans cet Occident — orgueil, satisfaction d'un
pareil pouvoir? (Bien plus considérable que celui de la
C.I.A. ou des compagnies internationales!) Certes pas, au
contraire. Ecrasante responsabilité — peut-être culpabilité.
Non point seulement celle d'avoir détruit les autres cultures,
cela c'est le fait d'abord des techniques, mais surtout d'avoir
dorénavant lancé tous les hommes dans une aventure dont
nous avons expérimenté qu'elle était sans issue, d'avoir provoqué l'homme à la liberté, qu'il est sans possibilité de vivre,

d'avoir mis en mouvement une exigence folle, d'avoir éveillé
des espérances qui ont été déçues chez nous. Il eut mieux
valu laisser dormir les hommes. Mais dorénavant l'aventure est celle-là, nulle autre, et il faut l'assumer car toute
tentative différente paraîtra morne, sans goût, sans grandeur.
La liberté fait peut-être du monde un enfer et un chaos, mais
une fois entrevue, plus rien d'autre ne peut satisfaire
l'homme.

Nous pouvons en dire autant de l'histoire. Assurément
c'était une sottise de considérer les peuples africains ou
amérindiens comme « sans histoire », celle-ci étant un apanage de l'Occident! Il est bien évident que partout il y a
une histoire, dès l'origine de l'homme. Mais il n'empêche
que c'est l'Occident qui a « inventé » cela même, qui a pris
conscience que l'homme avait et était une histoire. Nulle
part ailleurs ni en Islam (malgré les chroniqueurs) ni en
Chine (malgré les archives mandarinales) ni en Inde ne fut
découvert le prodigieux phénomène qui caractérise l'homme :
c'est un faiseur d'Histoire. Cette histoire comprise comme
l'expression de la liberté, de la maîtrise de l'homme sur les
événements, sur la nature, sur sa propre société... Et nous
pouvons dire que c'est le caractère de la pensée occidentale
de droite ou de gauche. Combien proche en effet malgré les
apparentes oppositions la conception que c'est l'homme qui
fait son histoire (chez Marx) et l'historiographie, dépassée,
qui centrait tout sur les « grands hommes ». Mais ceux-ci
étaient seulement le Modèle, l'archétype, l'incarnation la
plus visible du même fait. Etudier Napoléon ou la classe
prolétarienne pour dire que l'un *ou* l'autre fait l'histoire,
c'est seulement deux expressions de cette réalité fondamentale de la pensée de l'Occident : l'homme est, l'homme a,
l'homme fait une histoire. Et si maintenant l'Afrique et l'Asie
découvrent leur histoire, c'est en réalité à partir des catégories occidentales, c'est parce qu'elles entrent dans cette
conception de l'homme et du temps que l'Occident leur a

apportée, alors même que cet Occident, toujours pris dans cette contradiction qui se répète, leur déniait cette histoire qu'il prétendait conserver en apanage, mais dont la force explosive remuait le monde, bientôt contre lui !

Mais après avoir découvert l'histoire, après avoir fait progresser extraordinairement la prise de conscience humaine par là, voici que l'Occident se trahit lui-même. L'histoire sombre dans l'accumulation de preuve, l'analyse mathématique, et le plus plat rationalisme [1]. Le témoin devient négligeable. La critique historique devient psychotique et obsessionnelle. Cela a commencé bien entendu par les origines du christianisme. L'exégèse des textes est alors devenue parfaitement folle, et cela dans la mesure même où l'enjeu était considérable. Les non-chrétiens ont usé de la rationalité historique, de la « méthode » (?), pour démontrer que tout était faux. Et les historiens chrétiens, pour ne pas avoir l'air d'être influencés, déformés par leurs convictions « religieuses », en ont remis. Tout fut démantelé par une pseudo-science historique, une critique non scientifique mais partisane. Ce qui était démantelé, c'était l'un des fondements de l'Occident, que l'Occident s'est mis à détruire dans la rage de sa mauvaise conscience et sa soif d'une justification devant les autres hommes en rejetant la justification qui venait, pour tous, de Dieu. Mais en même temps, l'Occident ruinait sa propre science qui devenait ridicule. Un exemple pour montrer jusqu'où a poussé l'ombre du soupçon en histoire : *Le Monde* publiait le 10 août 1974 une lettre

---

1. Bien entendu, je sais que tout le courant d'étude des mythes dans l'Histoire va à l'encontre de ce que je dis là. Et aussi que la réflexion sur l'Histoire menée par exemple par Veyne est admirable. Et enfin, je ne rejette pas toute histoire quantitative : celle de Braudel et de Chaunu est une parfaite réussite, exemplaire. Mais ces tendances et ces réussites n'empêchent pas que la grande majorité des historiens reste scientiste, positiviste, platement rationaliste et hyperspécialisée.

étonnante d'un professeur de faculté de lettres mettant en doute les chambres à gaz hitlériennes : « Ont-elles été un mythe ou une réalité... votre opinion sur la possibilité d'existence de ces chambres a-t-elle varié depuis 1945... Je n'ai pu jusqu'à présent découvrir de photographies de chambre à gaz qui paraisse présenter quelque garantie d'authenticité. Ni le centre de documentation juive ni l'Institut fur Zeitgeschichte de Munich n'ont pu m'en fournir. Auriez-vous connaissance de photographies... »

Ne croyons pas que ce soit là un professeur aberrant. En réalité il exprime la même attitude d'esprit que les historiens qui rejettent les témoignages sur la résurrection du Christ depuis deux siècles. Là aussi pour être convaincu, il leur aurait fallu une photo. L'histoire devient idiote — au double sens du mot! Car bien sûr une photo n'est pas une preuve! Si on fournissait des photos correctes de chambres à gaz — ont-elles effectivement servi? Et même si on voyait le troupeau de condamnés photographiés y entrant. Après tout, n'est-ce pas un simulacre? Et même si on photographiait l'intérieur de la chambre à gaz avec les hommes mourant, après tout sommes-nous sûrs que ce sont les nazis qui l'ont fait? etc. La preuve absolue n'existe pas et notre science historique à la recherche folle de cette preuve absolue a progressivement désignifié l'histoire que le génie de l'Occident avait inventée.

II

Défense de l'homme occidental

Bien remarquablement, s'il a prétendu être un individu, nous constatons aisément qu'il n'a jamais incarné, exprimé dans son être la liberté — qu'il soit le conquérant, mû par l'esprit de puissance, il n'est alors en rien différent de tous les conquérants qui ont traversé l'histoire. Ce n'est pas ce qui le spécifie, mais au contraire ce qui l'identifie à tant d'autres. Ce qui me paraît au contraire le singulier, l'unique dans cet homme occidental, c'est la maîtrise en toute chose s'exprimant de façon diverse : la maîtrise par la raison, l'effort de rationalité, la maîtrise des relations humaines, la maîtrise de soi. Car certains peuples ont pu acquérir, construire la maîtrise dans un domaine (la bien connue maîtrise de soi des Chinois, l'impassibilité des Japonais) et dans ce domaine aller beaucoup plus loin que l'Occidental, mais celui-ci me semble le seul à l'avoir tentée sur tout, sans rien excepter.

Assurément cette maîtrise est ambiguë. Et lorsqu'elle a porté sur le monde, sur les choses, elle a été finalement l'expression d'une avidité, d'une âpreté, d'une possession. Et lorsqu'elle a porté sur les autres, elle a été l'expression d'une volonté de puissance et de domination. Mais cette entreprise intérieure est aussi considérable que le spectaculaire auquel nous nous attachons. L'ambivalence est entière, et jamais aucun groupe n'a poussé si loin la volonté de rationaliser, de dominer la marche des idées comme la marche des choses. Nous avons ici l'autre face, exactement, de l'invention de la liberté, de l'émergence de l'individu. Cet individu libre était forcément d'un côté une force qui va et qui domine, de l'autre, et prodigieusement, l'individu contenu, enfermé par des méthodes et des maîtrises. Il ne pouvait pas faire n'importe quoi de façon incohérente. Et, stupéfiante découverte, la limite intériorisée c'était finalement la nécessité de se soumettre à une certaine démarche, celle de la raison, dans toutes les entreprises, dans toutes les affirmations. De même, les individus découverts et discernés les uns des autres, dotés d'une capacité d'aventure originale, n'entraient en relation les uns avec les autres que par l'intermédiaire d'un code, artificiel bien entendu, mais empêchant le heurt brutal et sauvage parce que direct, qu'il s'agisse d'un code juridique ou d'un code de politesse, ou au travers de rites, non pas extérieurs, mais impliquant une parfaite maîtrise de la personne. Il faut alors ici aussitôt faire trois remarques. Est-ce que par cette description de l'homme occidental je reviens au schéma classique du XVIIIᵉ : l'homme individu, doté nécessairement de raison — est-ce que la raison est le partage de l'homme? assurément pas. Ce n'est pas un donné, un produit nécessaire du cerveau comme nous avons des bras et des jambes. L'erreur des philosophes du XVIIIᵉ a été de croire que ce qui s'était construit progressivement dans le monde occidental, le lent et difficile accouchement depuis la Grèce et Rome, était un produit naturel, qui allait de soi. Leur erreur a été de penser que la raison est une donnée de la nature humaine. C'est au fond cette idée même de nature qui les a induits à commettre cette erreur. Car ils ont dit aussi la même sottise en formulant que l'homme est par nature libre, ou que « les hommes » naissent libres et égaux...

La liberté fut une longue conquête de quelque chose d'inattendu, d'incompréhensible. Il fut alors par exemple curieux de voir Rousseau affirmer d'un côté que l'homme est doté de raison, cependant que de l'autre il attaquait avec la plus grande violence les lois, les coutumes et la politesse. Il ne se rendait pas compte qu'il y avait là exactement la même démarche, création d'un ensemble de processus s'imposant à l'homme pour maîtriser sa propre action, justement dans la mesure où il devenait libre et individualisé.

Ainsi pour moi nous ne sommes nullement (et c'est ma seconde remarque) en présence d'une raison naturelle, et l'homme du monde occidental n'est pas naturel, il n'est en rien l'expression d'une nature humaine, il est rigoureusement inventé, artificiel, lentement créé au cours de l'histoire. L'homme occidental n'est pas l'homme en soi. Il est parmi beaucoup de possibles, le résultat d'une certaine histoire singulière, il est le produit de certains choix (répétés, cumulés, construits, mais pour une part inconscients). Et nous sommes dorénavant en présence, nous aussi, de choix, cet homme occidental, allons-nous encore le vouloir? en sachant clairement que si on cesse de le vouloir, il cessera aussi d'exister. On ne va pas indéfiniment bafouer la liberté, la raison : nous nous conduisons maintenant, nous Occidentaux, envers notre monde et l'homme qu'il a produit, exactement comme les écologistes reprochant aux techniciens de s'être conduits envers l'air, l'eau, les océans, les forêts : c'est si grand, si énorme, si assuré, que l'on peut faire n'importe quoi. On peut rejeter à l'océan les millions de tonnes de nos déjections, il reste toujours l'océan. Eh bien non! Brusquement, on découvre qu'il est en train de mourir — alors on s'affole.

Les agressions innombrables contre l'homme occidental, celles des philosophes, des linguistes, des structuralistes, des marxistes, on les mène bon train parce que, dans le for intérieur, on est si profondément convaincu que l'individu, la raison sont tellement impérissables que l'on peut se donner le luxe, si agréable, de les mettre en question, de les nier, d'exalter la valeur éminente du fou, de l'irrationnel absolu, Artaud devient le modèle, le saint et le héros, le maître à penser et la nouvelle incarnation de l'absolu. Mais ce faisant on poursuit encore un gentil discours bien rationnel sur Artaud. Lacan peut bégayer de génie comme la Pythie sur son trépied, il conserve le plus rationnel des comportements sociaux envers l'argent et les grands exubérants de la haine de l'individu et de la société occidentale, des Sollers ou des Foucault font une carrière littéraire et universitaire rationnellement conduite, et de type parfaitement occidental. On garde ainsi la certitude que ce que l'on attaque est si solide, si profond, que l'on peut se donner la joie d'y aller sans réserve, ce ne sera jamais qu'un spectacle où l'on pourra prendre figure de héros. Malheureusement ce n'est pas ça du tout. L'homme occidental est une construction volontaire et fragile. Il a été lentement mûri, pour éclore dans la conscience au XVIII° siècle. Mais assurément il existait bien auparavant. Il avait été induit au cours des siècles, avec des réussites et des échecs, des percées admirables et des retraites. Auerbach dans son extraordinaire *Mimesis* nous donne un aperçu de l'évolution de cette saisie du réel en même temps que se construisait un certain type d'homme. Il a été le produit d'un cheminement lent, énergique, d'un âpre recueillement, d'une condensation de toutes les forces de l'homme sur un seul point, d'une accumulation par strates jalousement ordonnées, d'un trésor jalousement conservé, transmis de génération en génération, enrichi à chaque étape. La raison ne s'est pas faite d'un coup, elle n'a pas jailli tout armée du cerveau de Jupiter, elle résulte d'un âpre combat avec les choses, avec le monde, avec la société, avec soi-même. Elle est devenue l'outil le plus polyvalent et le plus efficace, en même temps que la discipline formatrice de la personnalité. Elle est devenue la clef qui paraissait s'adapter à toutes les serrures, en même temps que la maîtresse qui exigeait bien des sacrifices pour accepter d'être là. Elle est un choix, et non pas un don. Elle apparaît au XVIII° comme si évidente, dans sa vertu, comme dans son omniprésence, que l'on a négligé ce lent cheminement, cette production historique pour en proclamer la grandeur universelle, et pour la proclamer mesure de toute chose. Mais ce n'est justement pas pour rien que le XVIII° brille d'un si vif éclat. La musique y exprime la raison, ce qui n'empêche pas la sensibilité la plus vive de s'y traduire, chez Mozart, comme la peinture chez Watteau. La raison n'est pas une sèche figure de géométrie. Elle est l'instrument incroyable qui dès avant la prise de conscience permet la poésie de Racine et l'écriture des Pensées et la musique de Bach et la peinture de Latour. Et ce n'est pas pour rien que le siècle qui effectue la prise de conscience élabore la plus raffinée des politesses :

la démarche est la même car la raison n'est pas le rationnel,
n'est pas le rationalisme! Elle donne bien entendu sa place
à tant de démarches esthétiques ou relationnelles, parce
qu'elle est une certaine attitude envers le monde et les
hommes. Et, dans les difficultés des relations humaines, la
conduite raisonnable et la politesse par exemple. Dans tous
les cas, c'est une procédure cachée qui est établie, impliquant, disions-nous, une maîtrise, de soi ou des relations ou
de la pensée. Et bien entendu, la raison, pas plus que le droit
ou la politesse ne produit une mutation de tout l'être.
L'homme ne devient ni foncièrement raisonnable, ni rationnel. Il y a la masse immense de l'iceberg en dessous du
niveau de la mer. Il y a les pulsions et les passions grondantes,
il y a l'insondable subconscient, l'inconscient. Il y a les
laves du fond du volcan, il y a l'animal qui est prêt à bondir,
et les plus profondes images des rêves et les archétypes...
Au-dessus, la maîtrise. L'effort pour sublimer, pour canaliser
le fond farouche, les passions torrentielles. L'effort pour
conduire correctement une pensée qui spontanément s'exprimerait par cris, inarticulations, interjections, prières et ana-
thèmes. L'effort pour censurer des paroles et des actes, qui,
spontanément, exprimeraient l'animalité ou les songes. Le
sommeil de la raison enfante les monstres. Comme il avait
vu le visionnaire Goya, la réalité la plus rigoureuse. La maîtrise est seulement une conquête fragile, une mince pellicule,
l'huile sur la mer furieuse qui calme les vagues, ou plutôt les
empêche d'être déferlantes et permet alors au bateau de
pouvoir se maintenir, alors que logiquement il aurait dû sombrer. Ainsi vous croyez par jeu, gloriole, et pour la réussite,
attaquer un roc, d'une telle solidité que l'on peut le casser
sans l'altérer, mais en fait vous risquez de détruire la plus
fine et la plus parfaite conquête de l'homme sur lui-même.
Freud et Marx étaient combien plus prudents! combien ils
restaient respectueux de cette raison, de cette conquête,
de cette discipline, héritiers infidèles. Sous vos attaques nous

voyons se détruire et tomber en loques la plus haute et la plus fragile des conquêtes humaines, incarnées, mal sans doute, passagèrement, dans l'homme occidental, un modèle humain qui pouvait être « achevé ». Bien entendu, cette invention de la raison, de la maîtrise de soi, ne pouvait pas couvrir tout l'homme, n'était pas l'être même spontané de l'homme, ne supprimait pas le reste.

Bien entendu aussi, ce modèle, c'est ma troisième remarque, ne pouvait pas être adopté par tous les hommes du monde occidental à toutes les époques. Il y a eu des régressions, des replis. Mais exactement comme il y en eut pour la liberté : ce n'est pas une accumulation constante et universelle, c'est une reprise toujours menacée, une difficile médiation entre la sclérose répétitive et l'explosion spontanéiste.

Tous les hommes du monde occidental ne peuvent être pris comme exemple de cette invention, de cette méditation incarnée. Mais chez tous il y avait l'orientation, inconsciente, vers ce modèle, il y avait l'obscur sentiment d'un jugement quand il n'était pas accompli. Chez tous il y avait une vague et profonde adhésion à cette intuition, à cette intention d'amener au jour un homme qui serait enfin raisonnable et libre. Ainsi nous sommes en présence d'une création, d'un artefact et de ce fait nous avons à prendre parti. Il y a un choix à faire. Mais il faut qu'il le soit clairement. Le vice de ce temps est l'attaque sournoise et non déclarée. On prétend (en apparence) conserver tout l'acquis du monde occidental, cependant qu'en réalité, on brise la construction projetée, on en disperse les structures au vent des passions et des engagements successifs et incohérents... Il faut choisir. Ici encore, on ne peut pas tout avoir et cumuler tous les avantages.

Se livrer aux pulsions de l'inconscient, aux déchaînements de l'irrationnel, au conditionnement du physiologique, à

l'explosion du désir, à l'immédiateté de la haine, est-ce cela
être homme? Suis-je homme quand je m'accouple bestiale-
ment, dans l'instantané du plaisir sans lendemain, quand je
me livre à la fureur et à la colère, quand je sombre dans
l'inconscient de la drogue et de l'ivresse? Silène, insépa-
rable ne l'oublions pas de Dionysos, est-il le vrai visage de
l'homme? On a trop fait honneur à Dionysos, le beau, le
déchaîné, le libre, le dieu des danses, des fêtes et du vin,
de ne voir que lui, mais il est Bacchus affreux et ridicule,
il est Silène, poussah ventripotent et répugnant. Il est trop
facile de l'oublier pour ne garder qu'une image glorieuse!
Comme il est trop facile d'oublier l'épouvantable réduction,
la déchéance décisive du drogué, son aliénation totale, sa
dépendance mortelle pour ne conserver que l'illusion de
liberté, planer, voyager, les hallucinations merveilleuses, les
rêves et le prétendu dépassement de l'homme. Nous y revien-
drons. Est-ce cela être homme? L'Occident a répondu radicalement que Non. Mais ne l'oublions pas, ce n'était pas
seulement l'Occident — c'est l'humanité dès les origines. Si
l'animal qui s'est peu à peu lui-même désigné en tant
qu'homme, cependant qu'il nommait aussi les autres animaux, si cet animal s'était contenté d'obéir à ses instincts,
d'exprimer dans l'immédiat ses pulsions, s'il n'avait pas
réprimé, ritualisé, symbolisé, s'il n'avait pas créé la discipline de vie, l'organisation sociale qui supposait la contrainte, il aurait purement et simplement disparu. Car il
était le moins habile et le moins adapté des animaux. C'est
pourquoi les théories qui font de l'homme un produit du
hasard et de la nécessité me paraissent tout à fait simplistes.
C'est entendu que le cerveau a été l'agent spécifique de
l'humanisation — c'est entendu que l'on peut ramener le
cerveau à un ensemble complexe de milliards de connexions
et d'influx électriques. Mais il y a bien autre chose car il
fallait que ce cerveau soit utilisé (et cela n'est pas un donné
qui va de soi), il fallait que ce cerveau n'aboutisse pas seu-

lement à une analyse de situation ou à des découvertes
concrètes, techniques : il fallait qu'il serve à une maîtrise
de soi-même, une répression intérieure de l'animalité spontanée. Il fallait qu'il serve à l'appréhension d'une conjonction entre la répression sur soi et la conservation de soi. Or,
cela n'était nullement donné d'avance — on n'a strictement
rien expliqué par le miracle du cerveau pas plus qu'en uti-
lisant des formules comme l'homme animal social... l'homme
n'a réussi à vivre (mais bien entendu, de profonds penseurs
peuvent affirmer que c'est là un désastre, et qu'il eut bien
mieux valu que l'homme ne survécut pas. L'excellence du
milieu animal, végétal se suffisant sans ce trublion. Ils ne
pensent ainsi que parce que l'homme a en effet survécu!
Mais ils ont au moins le mérite de dire clairement ce qui finalement est l'horizon du projet de ces innombrables mouvements spontanéistes, instinctivistes, irrationalistes, etc.
mettant violemment en question l'homme occidental...) que
dans la mesure où il s'est *organisé* en *société*. Je dis bien
organisé, il n'y a jamais eu la bande errante, le troupeau
informe d'êtres « humains »... Et l'on sait de mieux en mieux
que la bande d'orangs comme le troupeau d'éléphants sont
déjà organisés, hiérarchisés — sommairement. L'homme a
dépassé largement ce stade — ce qui l'a fait homme ce
fut son *choix* d'organiser par médiation, religieuse et verbale, esthétique et sociale. La bande humaine n'a pas existé,
parce que le groupe humain est lui-même médiateur d'un
code auprès de chacun de ses membres. Il n'y a pas d'humanité dans la « joyeuse » (?) spontanéité animale, dans l'expression directe des besoins et des passions. Tout fut média-
tisé, réfléchi, reporté. Il n'y a pas d'homme sans un groupe
et pas de groupe sans une répression. La civilisation a toujours procédé par des répressions successives. Mais l'homme
y répliquait, non par le déchaînement absurde du jeune chien
qui enrage parce qu'il est attaché, mais par la sublimation.
La pulsion réfrénée était reportée vers un objectif plus pro-

fond, plus décisif, plus essentiel. La sexualité empêchée provoquait l'invention de médiations nouvelles. Et à chaque médiation, se rattachait une amélioration du groupe et de l'individu, une progression vers l'être homme, chaque fois plus loin de l'animalité. L'homme n'a créé son être que par des répressions successives, et *chaque fois, en même temps niées* et *dépassées*. La sublimation n'est pas une vague consolation : « Je voudrais bien faire ça, on m'en empêche, alors je me mets à rêver... » cela est absurde. Mais une force contenue, empêchée qui trouve une voie étroite pour s'exprimer est *alors* d'autant plus puissante. L'élévation de chaleur est d'autant plus grande que la « résistance » est forte! L'impétuosité du torrent est d'autant plus fulgurante que le lit se fait étroit!

On néglige souvent que le froid équilibre d'Apollon couvre une musculature combien plus redoutable que la gesticulation incohérente de Dionysos. La sublimation a fait l'homme et son monde. Elle n'est pas un « à défaut de mieux... ». Mais la répression, quelle est-elle? Nous avons eu d'abord la répression du groupe, purement extérieure : pression du chef (mais jamais seule et jamais liée à sa force physique), de l'ancien et des anciens, exprimant la pression du milieu, et soutenue par le poids du groupe à l'égard du dérogeant. Pression intégratrice, au point, avons-nous dit, qu'il n'y avait presque pas de distance de l'homme au groupe. Et nous avons parlé de la conquête de l'individu, de la liberté. Mais ceci ne suffit pas : il y avait aussi la répression intérieure. Les règles de conduite (et tout ce qui est devenu le droit, la morale, etc.), les règles relationnelles, les structures organisationnelles étaient si profondément intégrées dans l'être humain que la répression visible et concrète avait lieu rarement. Phénomène de l'acculturation — prendre en soi les normes du groupe, puis de la société. Les intérioriser si fortement qu'elles semblent dorénavant n'être plus qu'une expression directe et personnelle de l'individu lui-même. Elles semblent venir de la nature, faire partie de la conscience, et constituer le stock premier intangible. Alors qu'elles sont un produit du groupe exprimant sa mainmise en profondeur sur chacun de ses membres. Or, le mouvement vers la liberté conduit à mettre en question d'abord (et de façon constante) les contraintes extérieures, celles du groupe existant comme en soi, et celles du pouvoir institué dans le groupe, mais aussi les conditionnements qui se produisent par l'acceptation des tabous sociaux, par le rejet de normes intériorisées : cela entraîne alors une situation impressionnante : on ne revient à ce moment exactement à une situation animale.

Si l'on reprend la théorie de l'agressivité de Lorenz, qui n'est certes pas sans intérêt, on peut dire que les hommes ont progressivement créé les freins pour limiter leur agressivité, mais que ces freins ne sont pas toujours les mêmes d'abord, ensuite que la volonté de la liberté les remet sans cesse en cause. Mais comme toute vie sociale devient strictement impossible, impensable dans ces conditions (et l'on se rend parfaitement compte par exemple de l'effet de la liberté dans le domaine économique) alors paraît, et ce fut l'invention miraculeuse de l'Occident, une autre modalité du contrôle, un autre ensemble de freins, comme la raison, et ensuite tous ceux qui peuvent être groupés sous le terme de « self control ». Si on récuse toute barrière extérieure ou sociale, alors il faut être capable de se limiter soi-même — c'est-à-dire que l'on doit être doté des instruments qui permettent un « bon usage » de la liberté, ou encore qui feront que cette liberté ne soit pas une incohérence sauvage. La raison permet de maîtriser l'impulsion, de choisir les formes de l'exercice de sa liberté, de calculer soit les chances de réussite, soit l'insertion de cette action dans le contexte du groupe, de comprendre les relations humaines, de communiquer : ce qui est l'expression la plus haute de la liberté, mais en même temps, cela n'a de sens que s'il y a un contenu, finalement dicté par la raison. Ainsi la raison est une élaboration volontaire, une construction compensatoire de la possibilité de liberté conquise. Il n'y a pas là une « ruse » particulière, mais véritablement l'effort de trouver quelque chose qui ne soit ni la contrainte externe ni les impératifs sociaux intériorisés et qui permette à l'homme à la fois d'être libre et cependant de choisir un comportement, d'exprimer des opinions ou des idées communicables et qui puissent être reconnues comme acceptables et communes par les autres membres de la tribu. Or, c'est ici la prodigieuse invention de l'Occident — que toute la vie de l'homme puisse être, et même soit, ce jeu subtil, infiniment délicat, entre la liberté et la raison. C'est ce qui a porté à son comble aussi bien la Renaissance que la littérature classique puis l'Aufklärung. Et cela, personne d'autre ne l'a fait. Nous avons ainsi élaboré un type d'homme le plus achevé, le plus conscient. Provoquer la raison impliquait forcément la critique de son être et de son action, de l'usage de la liberté comme de la raison même par un retour sur soi et une réflexion continue de laquelle devait surgir une nouvelle possibilité de liberté contrôlée par un nouveau développement de la raison.

Ceci se doublait de ce que l'on appelle le « self control ». En réalité, on ne peut être vraiment libre que si l'on se contrôle soi-même suffisamment pour rester acceptable par les autres — ce qui implique une maîtrise de ses impulsions, de ses désirs, de sa spontanéité, non pas pour qu'ils disparaissent, mais afin de les orienter. Ils ne s'expriment pas dans l'immédiateté du ressentiment, de la colère, de l'envie, de la sexualité. Bien entendu le self control est appris, et par conséquent il est aussi un comportement social intériorisé (ce que n'est pas la raison) mais totalement différent des tabous par exemple. Ici l'homme est seulement appelé à dominer ce qui le conduit à un comportement animal en fonction de ce qui permet ou ne permet pas la relation

avec les autres. Assurément cette formation peut amener
à des conduites stupides lorsqu'elles ne sont plus que des
stéréotypes non fondés, non volontaires. On l'a assez souvent critiqué, ridiculisé pour l'Angleterre du xixᵉ siècle.
Mais ce contrôle qui permet de *choisir* parmi les passions
et les comportements est, qu'on le veuille ou non, un
signe de liberté. Celui qui est saisi par une violente colère
et qui l'exprime par des cris, des gesticulations, des insultes
et des coups, qui est de plus en plus emporté par le
torrent de cette colère au fur et à mesure qu'il l'exprime (et
ne dit-on pas : emporté, justement!), qui aboutit à un
paroxysme de rage meurtrière, n'est en rien libre. Celui qui
contrôle exactement sa colère, qui la mesure, qui se contraint
au calme, qui n'élève pas la voix, cependant que les laves
bouillonnent en lui, et qui ne fait aucun geste que celui
qu'il a exactement voulu, calculé, cependant que son sang
se déchaîne, celui qui exprime sa colère par des paroles
mesurées, et peut être ne dira rien pour exprimer ensuite,
plus tard, son opinion sur ce qui a provoqué la colère, celui-
là est effectivement libre. Mais bien entendu je ne prends ici
qu'un exemple simple. Ce n'est pas seulement la maîtrise
des passions qui est une condition de la liberté, c'est aussi
celle du langage, et des idées, et des relations sociales. Sans
cette maîtrise, la liberté n'est exactement qu'une inondation
d'une personnalité qui se dilue en s'exprimant sans réserve.
Le self control s'exprime assurément dans ce que l'on a
appelé la politesse, et que N. Elias a décrit par exemple dans
La civilisation des mœurs [1]. Celle-ci est exactement ce qui
permet de cohabiter en évitant les occasions de conflit et
de rupture. Il n'y a pas *un* code de la politesse, il n'y a pas

---

1. Calmann-Lévy, 1973. Ce livre est évidemment intéressant et historiquement très riche, mais il part du présupposé que dans la mesure où l'on contraint une impulsion, on s'éloigne de « l'homme », donc une prise de position inverse de celle que j'adopte ici.

un *contenu* de la politesse. Chaque groupe, chaque époque dans cet Occident l'a institué différemment, mais l'important est qu'il y ait cette huile dans les rouages qui per-
mettra de fonctionner sans gripper. Dans la mesure où le
groupe est fait d'individus qui se veulent autonomes et libres,
il faut assurément qu'il y ait cette mince pellicule isolante
pour éviter les heurts, ou encore qu'il y ait cette étroite
zone neutre qui sépare chacun de tous les autres, terrain
sur lequel on peut se rencontrer sans qu'il y ait de conflit,
parce que les rites et les coutumes ici n'ont en effet aucune
importance et peuvent être appris par tous pour avoir un
lieu commun, sans que cela change en quoi que ce soit la
liberté ou la raison. L'absurde vient lorsque l'on prend ce
rituel pour une valeur en soi, lorsque la politesse cesse d'être
l'huile ou le terrain neutre de rencontre pour être un carcan,
lorsqu'elle est tellement valorisée qu'elle devient institution
intangible et qu'alors elle empêche toute question fondamentale ou personnelle de venir au jour, elle interdit à
l'homme de rencontrer l'homme. Alors il faut assurément la
briser, mais en sachant ce que cela coûte et ce que l'on
risque. Je sais par ailleurs que beaucoup d'autres peuples
que les Occidentaux ont aussi élaboré une politesse, et en
particulier les Asiatiques, mais elle a un tout autre sens et se
situe dans un contexte complètement différent. Et bien
entendu, il faut complètement différencier cette politesse
occidentale émergeant peu à peu à partir du XVe siècle
(comme elle avait émergé à Athènes et à Rome) au fur et
à mesure que l'individuation s'effectue, que la volonté de
liberté se fait davantage concrète.

La combinaison du contrôle et de la raison conduit enfin
à la cohérence. Si l'homme conquiert sa liberté sur le
corps social et se veut libre en face des autres (à la fois :
parmi et contre), le grand risque est celui de l'incohérence.
C'est ce que par exemple nous avons vu chez de nombreux prophètes de la spontanéité, des forces profondes et

de l'immédiateté. « Il devient possible d'être maintenant
exactement l'inverse de ce que j'étais hier. » La cohérence
est un produit essentiel de l'Occident. Ici encore, ce n'est pas
la même chose que la répétition ou la ritualisation. Ce n'est
pas un comportement continu socialement guidé. La cohérence est liée au discours raisonnable d'une part, à la possibilité d'avoir une relation continue avec les autres d'autre
part. En effet pour qu'il y ait une relation véridique, il faut
que l'autre puisse faire suffisamment confiance à la continuité de mon comportement pour savoir qu'il peut attendre
de moi telle parole, telle aide, tel refus. C'est la condition
même de la relation! Elle donne pour cela une garantie
comparable à la ritualisation des relations, mais elle se
situe *après* l'individuation et l'affirmation de la liberté, non
pas *avant!*

Que cette cohérence soit essentielle nous paraît dans les
jugements et les formules qui jugent la rupture de cette
cohérence : un politicien qui retourne sa veste, un intellectuel qui change d'idées comme de chemise, un homme qui
s'amourache de n'importe quelle femme, et saute de l'une
à l'autre, un garçon qui laisse tomber ses copains... jugements populaires qui dénotent que l'on attend de l'autre une
certaine continuité de son comportement, une cohérence.
Il n'est pas possible de décevoir tout le temps l'autre. Et l'on
induit généralement de cette variabilité, l'instabilité fondamentale de la personnalité. Etre libre, c'est en même temps
reconnaître ce que les autres attendent de moi (et si je m'y
refuse que ce soit alors pour de bonnes raisons), c'est être
capable d'assumer les suites d'une parole, d'un acte, d'un
comportement que j'ai pu avoir et qui m'amène à répondre
de ce que j'ai fait, de ce que j'ai été. Se trahir soi-même
parce que l'on refuse d'être aussi responsable, ce n'est pas
être libre, c'est révéler une personnalité de chewing-gum.
Le cohérence qui peut alors s'exprimer par une contrainte
que j'exerce sur moi-même est ainsi l'expression de ma libé-

ration à l'égard de mes impulsions. Et si je refuse de tenir
un engagement, que ce soit alors véritablement non pas
en fonction d'un coup de tête, d'une impulsion passionnelle,
mais en sachant clairement ce que je fais et pourquoi je le
fais. La cohérence permet alors de considérer que les engagements envers l'autre sont durables. Le mariage ou le
contrat ne sont pas de simples formalités extérieures, ce sont
des déclarations d'intentions solides et que je dois assumer.
Ce qui me permet de ne pas flotter de façon incohérente au
gré des circonstances. Il me paraît certain que l'inconstance
dans la relation des sexes n'est nullement un progrès de la
liberté, c'est une régression de la personnalité, c'est l'impuissance à résister à l'impulsion du moment, aux circonstances.
Il suffit de penser à tous ces romans innombrables qui ont,
depuis *Madame Bovary,* justifié l'adultère puis l'aventure
contre le « mariage bourgeois », où nous voyons qu'il s'agit
toujours d'un jeu de *circonstances* — c'est une soirée heureuse, un bal, etc. qui jettent dans les bras l'un de l'autre
ceux qui vont connaître un merveilleux amour « libre »,
n'ayant rien à faire avec le conventionnalisme social du
mariage. En réalité l'un ne vaut pas mieux que l'autre. Et
forcément cela conduit à l'incohérence des relations sexuelles
considérée aujourd'hui comme le fin du fin. Peut-être en
effet signe de la fin. L'Occident avait donc établi ce jeu
admirable de la liberté, de l'individualisme, de la raison, du
self control, de la cohérence des comportements. C'est ce
type d'homme qui est unique dans l'histoire, ce type d'homme
qui est véritablement l'homme occidental. Et je dois dire
que (répétant qu'il n'est pas animal, ni naturel, mais construit, volontaire et acquis) ce type d'homme me paraît supérieur à tout ce que j'ai vu ou connu par ailleurs. Bien entendu,
c'est un jugement de valeur, une préférence personnelle et
subjective. Mais je ne suis pas prêt à renier cette construction, cette conquête, cette affirmation. Parce que c'est celle
même de la liberté. Et parce que je ne vois aucun autre

modèle satisfaisant susceptible de remplacer ce jeu subtil
du monde occidental.

L'Occident, au cours de cette montée de la raison, a fait
faire au monde une avancée incroyable en liant la rationalité
avec le langage. Car il ne faut pas oublier que les travaux
de linguistique s'exercent d'abord sur des langues directement ou indirectement issues de la raison occidentale. L'enchaînement rigoureux intelligible et strict de la langue est
création de l'Occident. Nous avons alors peut-être beaucoup perdu en ce qui concerne les nuances, la taxinomie,
le mythe, la magie et la capacité créatrice, évocatrice, c'est
vrai que le langage est devenu l'instrument exact d'une
pensée exacte, il est devenu l'appareil de cette pensée, comportant désormais sa propre rigueur et son unicité, mais avec
le danger que cela représentait, c'est aussi, ne l'oublions pas,
cela qui a permis à l'homme l'avancée foudroyante de la
conscience, l'émergence de l'individu, et la domination
suprême de l'intelligence... Ici encore, en reconnaissant le
prix qu'il a fallu payer, les pertes subies, je ne suis pourtant
pas prêt à renoncer à cette merveilleuse raison langagière, à
cet usage souverain, au sens lié à cette construction du langage, au sens transmis, et devenu commun.
    L'Occident, c'est l'univers de la parole raisonnable, du
discours suivi et raisonné. L'homme a inventé la parole. Les
civilisations ont inventé le discours. Et parmi tous les discours possibles, l'Occident est sorti du discours mythique,
du formulaire magique, de l'identification de la parole à
l'action, de l'ésotérisme prophétique ou poétique, de la
contraction rituelle, de l'exaltation incantatoire, pour tracer
une nouvelle route parmi tous ces discours possibles, celle
du discours raisonnable. Je sais, je sais, chacun dira qu'il
a dès lors affaibli, appauvri la parole. Mais dans ce prodigieux concert de la diversité des discours que les cultures

ont exprimé, aucun n'est supérieur, aucun n'est inutile, et si le raisonnable est d'un sens appauvri, de combien d'autres n'a-t-il pas enrichi, agrandi, fortifié, totalisé la parole! L'humanité serait encore dans un stade infantile, si ne lui avait été donné par l'Occident le discours suivi, le discours raisonné. Mais bien entendu, l'adulte perd les vertus de l'enfant. On ne peut tout avoir ni tout cumuler. Il n'y a pas de progrès absolu, chaque pas en avant, chaque expérience acquise, chaque innovation se paie d'un abandon et parfois d'un désert. Le discours raisonnable a dès l'origine marqué l'Occident, il a exprimé en même temps la maîtrise de l'expression orale, la maîtrise de la conduite d'une pensée qui supposaient un contrôle des sensations et des sentiments, une fermeté envers soi-même et envers le milieu. Mais aussi, ce discours raisonné supposait la coïncidence entre la pensée et sa formulation, l'adéquation du réel vécu et réel exprimé, l'exacte corrélation entre la parole dite et la parole entendue — le locuteur et l'auditeur devaient être autant l'un que l'autre maître de sa pensée, de sa parole et de ses sentiments. Et ce discours raisonné a finalement supposé une continuité dans le réel, qui a cessé d'être fait de fragments d'expériences incohérentes et incommensurables, et dans le temps qui devait être continu, et finalement linéaire parce que ce discours raisonnable procédait à des successions de propositions continues. L'avant et l'après n'étaient pas subjectifs, puisque dans le raisonnement, dans la continuité du discours, il y avait un enchaînement de termes clairs qui se conditionnaient irrévocablement. Or, tout ceci n'était ni illusoire, ni fallacieux — c'était une mise en orde du monde. Comme le voulait aussi le Mythe. Mais une autre. Et si le mythe est irremplaçable, le discours raisonnable l'est tout autant. Et voici que dans sa fureur, l'amok anti-occidental des Européens a entrepris de détruire son propre discours, de désintégrer la parole, prétendant retrouver la dimension mythique, ce qui est vantardise, ramenant le discours à des fragments

et des onomatopées, pour faire *originel,* découvrant le langage « corporel », explosant en délires dont l'image la plus
parlante fut celle du Führer [1]. Car il ne faut pas s'y tromper : la destruction du langage raisonnable ne nous fait pas
entrer dans une dimension plus vaste de la Parole, mais nous
place devant un carrefour où il n'y a que deux voies. D'un
côté, la glaciation structurale, qui ramène la parole à la
structure, et porte le rationalisme à son comble. De l'autre
la propagande, qui va de Johnny Halliday au Führer, en
passant par Woodstock et tous les théâtres engagés que l'on
voudrait. En fait nous vivons la combinaison des deux. Et
sombre le navire qui portait nos raisons.

Tout ceci fut donc, depuis un siècle bientôt, mis en question. Raison, contrôle, cohérence... au nom de l'irrationnel,
de la spontanéité, de l'instantanéité... les deux premières
accusations, les plus simplistes, furent d'une part l'hypocrisie,
d'autre part la constitution de la « personnalité névrotique ».
Les « esprits libres », qui répugnaient à la bourgeoisie, et
même à tout moralisme, ont accusé l'homme occidental
d'hypocrisie, jugement moraliste s'il en fut. Et l'on mit en
avant les analyses du soupçon, Marx, Nietzsche et Freud,
chacun se situant à un niveau différent, prenant l'homme
occidental dans un faisceau de projecteurs orientés différemment. Le schéma était pourtant toujours le même,
l'homme occidental ne fait pas, ne vit pas ce qu'il a déclaré.
D'où l'on tirait l'accusation toujours renouvelée dans le
théâtre et la littérature : ces déclarations morales, cette
proclamation de la raison, cette politesse et cette apparence
d'ordre ne sont que faux-semblants, « rationalisation », justification, voile sur le réel, moyen de légitimer une domination, pure apparence et idéologie. Il n'y avait là aucune
valeur, aucune vérité, aucune sincérité. Ce qui caractérisait

---

1. *Cf.* Notre livre *Propagandes* — et d'autre part nous préparons
une prochaine étude sur l'Image et la Parole.

cet homme était au contraire sa duplicité. Rien ne devait subsister de cette construction puisqu'en fait le comportement réel de l'homme était différent. Il se disait fidèle à sa femme et multipliait les adultères, égalitaire et écrasait les pauvres, libéral et favorisait le pouvoir, rationnel et se livrait à l'esprit de puissance, humaniste et construisait le monde de l'aliénation. Tout était faux. L'on en tirait la conclusion aisée dont nous voyons aujourd'hui les conséquences : il faut détruire ces misérables principes que tout le monde bafoue, et se livrer enfin à l'honnêteté, l'authenticité, l'identité entre l'être, le faire et l'apparence. Vertueuse intention, éminemment évangélique. Mais l'Evangile n'est pas la Société (ce qu'oublie par exemple fréquemment l'antipsychiatrie!). Or qu'a-t-on vu? Le seul et authentique modèle de l'anti-morale, de l'antilibéralisme fut Hitler. A condition du moins de parler de ceux qui ont mis en pratique cette théorie, et ne se sont pas contentés d'en parler, comme Marx ou Nietzsche par exemple. L'apologue de Baudelaire se mettant à battre le mendiant pour l'obliger à devenir un homme est très joli, mais il entre exactement dans la ligne de l'hypocrisie occidentale si Baudelaire ne le fait pas effectivement. C'est encore de la littérature destinée à se donner bonne conscience. Supprimer les freins de la raison n'est en rien combattre l'hypocrisie. La spontanéité reste tout aussi hypocrite, et la Gauche n'a rien à remontrer à la Droite. Il y a une différence proprement inouïe entre une société qui prétend obéir à la raison, qui édifie une morale et la propose comme conduite valable à ses membres, sans toutefois y parvenir, sans que les hommes de cette société observent vraiment l'un et l'autre, et puis une société qui bafoue la raison pour laisser la place à l'instinct, et rejette la morale pour permettre à chacun de suivre son impulsion : cette dernière n'est en rien plus honnête ou authentique, elle n'est pas libérale, elle est seulement la justification ultime du laisser aller et du chien crevé. D'un côté, il y a : « Ce que je fais me

juge », de l'autre la proclamation simple : « Ce que je fais est
bien » (quoi que ce soit) — Une société qui prétend à la
raison et à la morale est celle qui provoque la prise de conscience, la réflexion sur ce que l'on fait, l'acceptation d'une
critique sur soi — cela n'est possible qu'à partir de ces principes que l'on n'arrive pas à mettre en application. Ne voit-
on pas la distance entre les Etats-Unis et Hitler ou Staline?
D'un côté une Déclaration des Droits de l'homme, un régime
qui se proclame démocratique et libéral, une affirmation
du respect de la personne et de la liberté des informations,
et dans la pratique, un système qui devient de plus en plus
policier, des brutalités, des tortures, une expansion économique et politique qui esclavage d'autres peuples, une perversion des principes démocratiques... alors, le monde entier
se lève et montre du doigt ces affreux hypocrites. Les Etats-
Unis deviennent la bête noire *parce qu'ils ont prétendu montrer le visage de la vertu.* Mais cette accusation n'a de sens
que précisément dans la mesure où ces principes ont été
déclarés, publiquement posés et soutenus. C'est à partir
d'eux que l'on jugera. Et ils jouent encore à l'intérieur,
quelles que soient les tendances impérialistes, la C.I.A., la
volonté de puissance : on n'ose pas s'y livrer totalement,
on n'ose pas faire une vraie guerre, on n'ose pas lancer des
répressions massives, parce que règne encore une mauvaise
conscience libérale et démocratique produite par ces principes bafoués. De l'autre côté vous avez un régime qui proclame : « La loi c'est la violence du plus fort, c'est la mort
du faible, c'est la dictature sans morale et sans principes, le
bien est identifié à l'Etat (ou à la pseudo-dictature du prolétariat), l'adversaire n'est pas un homme mais une vipère
lubrique » : alors, en accord pur et simple avec ces proclamations, la pratique tue sans remords. Quelle accusation voulez-vous alors porter? Au nom de quoi dire que Staline a
eu tort? Il a été en plein accord avec ses principes. Votre
conscience? Mais elle est simplement bourgeoise, moraliste

et rétrograde. La seule solution, c'est en effet d'abattre un tel pouvoir et de tels hommes sans les juger, comme des chiens enragés... Mais n'est-ce pas dire alors que supprimer la raison et la morale c'est devenir un chien enragé? Et à l'intérieur, dans la mesure où cette « libération » n'entraîne sur soi aucun jugement, il n'y a plus de frein, plus de réflexion sur ce que l'on veut faire. Tout est ainsi légitimé. Vouloir supprimer ce que l'on appelle l'hypocrisie occidentale, et pour cela supprimer les « intentions vertueuses », pour mettre les principes en accord avec la conduite fixée comme règle, mouler la nouvelle morale sur l'instantanéité du désir, c'est uniquement en fait se soumettre à la loi du plus fort, matériellement le plus fort, qu'il s'agisse en soi du plus fort instinct, ou dans la relation avec autrui, celui qui gueule le plus fort ou dans la société celui qui a le plus de moyens. Poser le principe inverse conduit nécessairement à une situation ambiguë, insatisfaisante et difficile, mais c'est la seule voie humaine de la liberté.

Car la liberté existe non pas là où l'instinct brut s'exprime tel quel, nous ne dépassons pas alors l'asservissement animal comme le montre la triste chiennerie de Saint-Germain des années soixante-dix, mais là où s'établit la contradiction entre une exigence de raison et une impossibilité à l'accomplir pleinement. La prise de conscience effective de ce que l'on est et fait, la réflexion sur cette prise de conscience, l'autocritique sont les voies de cette liberté. Alors que la récusation de cette exigence est une retombée dans le déterminisme socio-animal le plus bas. Et le mécanisme ancien par lequel l'homme occidental aujourd'hui accuse l'homme occidental d'hier d'hypocrisie n'est rien d'autre que l'expression de ce cheminement, la proclamation de l'exigence morale. C'est le produit direct de cette liberté que seul l'homme occidental a produite. Mais étrangement lorsque Jésus proclamait les scribes et pharisiens hypocrites, c'était pour les amener à appliquer les principes qui avaient été

posés. Actuellement la même accusation est purement auto-
justificatrice. Il s'agit d'abandonner les principes. Et de
même, on peut accuser la politesse d'hypocrisie, mais comment ne pas voir que si en effet la politesse oblige à cacher
ses envies et ses sentiments, si elle établit un voile entre
deux personnes, si elle bloque certaines expressions, c'est
la condition même pour que la relation humaine ne se solde
pas par des violences, et des intolérances? La politesse en
réprimant certaines de mes impulsions m'oblige à prendre
le temps et la distance nécessaires pour que je puisse calculer
exactement ce que je puis dire, pour que je puisse établir
une relation vivable avec l'autre. Nous savons de plus en
plus par la psychanalyse et le Sartrisme que l'Autre est pour
moi un danger mortel. Les « primitifs », qui codifiaient les
relations, le savaient sans détour métaphysique. Et ils éta-
blissaient les rituels, puis les politesses nécessaires précisément pour que le danger disparaisse ou soit suffisamment
réduit pour qu'il devienne tolérable. La mise en question de
la politesse par les vertueuses indignations de nos jeunes
chiens est une simple sottise fondée sur l'ignorance.

Mais l'autre grande accusation c'est la « Personnalité
névrotique ». On connaît le schéma explicatif : la société
occidentale apprend aux petits enfants l'humilité, la vertu,
la justice, l'amour du prochain, la véracité, et lorsque ces
petits enfants qui ont assimilé ces enseignements deviennent
grands et entrent dans la vie active, que voient-ils? Ils trouvent le triomphe du mensonge, de l'injustice, la concurrence
effrénée qui ne s'exprime que par l'écrasement des plus
faibles, le succès de la malhonnêteté, la dérision de la vertu.
Si l'on veut réussir (ou simplement avoir sa place) dans *cette*
société, il faut *faire* exactement le contraire de ce qu'elle
enseigne comme principes, et ce qu'elle diffuse pour tous les
jeunes. D'où une sorte de confusion mentale, ou bien un écla-

tement de la personnalité qui se traduisent par des névroses. C'est au plan médical et psychologique la même accusation que précédemment sur le plan moral. Mais il faut alors se demander si ce n'est pas là le prix payé d'une part pour que la société ne soit pas pire, d'autre part pour qu'une évolution soit possible, par la tension entre l'exigence et la difficulté de réalisation, et finalement pour qu'une liberté renaisse sans cesse. Car il n'y a de liberté que dans ce conflit même, exactement, d'un appel à être, à naître, à grandir, sans cesse récusé, bloqué par les conditions que l'on doit surmonter. Et la première mise en question au nom de la liberté pourrait être : « Si l'on veut réussir dans cette société, il faut être malhonnête... oui mais vouloir réussir est-il si important? Le critère de la réussite ne pourrait-il pas justement être contesté? »

Si l'on ne veut pas réussir, la liberté redevient infiniment plus accessible, et c'est le jeu entre l'exigence de la raison et le contexte social et le jeu même de la liberté qui n'est plus asservie par les conditions de la réussite. Là encore, c'est un produit de l'homme occidental. Et, bien sûr, cela exige un grand effort. Bien sûr tout le monde ne peut pas supporter cette contradiction. Bien sûr, il y a dans le combat toujours recommencé de la liberté, des morts et des blessés. Ce sont (peut-être... car il y a combien d'autres causes de névroses, et justement parmi ceux qui ont prétendu se libérer de leurs « complexes » et de leurs « inhibitions ») ceux qui ne peuvent supporter une pareille tension, une pareille contradiction. Mais la contradiction n'est-elle pas la condition même pour que nous puissions évoluer, pour que nous soyons appelés à dépasser le stade actuel. Evidemment il faut être suffisamment solide et résistant. Et cela présente aussi un aspect de cet homme occidental : il est formé par une exigence qui le dépasse, il est mis en question pour se dépasser lui-même (et ce dépassement vaut bien celui de la drogue!). Il fait ce qu' « aucune bête au monde »... il lui est porté un défi, il se porte à lui-même un défi, et parfois il le tient, parfois il y succombe. Il s'impose de vivre dans la contradiction et par là même trace un chemin nouveau, inédit, c'est à cause de la contradiction (qu'il veut soit maîtriser, soit fuir) qu'il invente et découvre, qu'il maîtrise les choses et se maîtrise lui-même... et forcément, le plus faible succombe et sombre dans la névrose, mais il n'y a aucune possibilité de s'engager dans les voies complexes de la liberté sans risquer les diverses « aliénations mentales », névroses et psychoses, paranoïas et délires : elle en sont l'antitype. Abandonnons — pour éviter de tels périls, la contradiction, la rigueur de la raison ou de la morale, et nous entendrons dorénavant de vagues borborygmes comme ceux des marais, des bulles de gaz qui naissent dans les profondeurs pour éclater sourdement à la surface, témoignage des corruptions fondamentales, une surface stagnante couverte de mousses visqueuses et pourrissantes, un splotch étouffé d'un corps qui tombe dans le bourbier pour ne plus s'en relever, la tranquillité moite et puante, sans autre drame qu'une permanente digestion géante, tout ce qui restera dès lors de l'homme...

Haine de la raison, haine de la rigueur, est-ce un retour à la Nature qui nous est proposé? C'est bien en effet le thème sans cesse renaissant. L'homme occidental est un homme contre nature par exemple pour avoir déclaré contre nature des mœurs sexuelles si évidemment naturelles chez les chiens entre autres. L'homme occidental est contre nature parce qu'il s'est différencié profondément de ce que nous considérons comme l'homme naturel. Nous retrouvons une nouvelle vague de « primitivisme » après celles de J.-J. Rousseau, ou de 1920 avec Lawrence. Cette fois le phénomène est complexe car il s'associe à la condamnation du colonialisme et de l'impérialisme, en rejetant les normes et la morale et la raison de l'homme occidental, on veut prouver que l'on est « passé de l'autre côté », avec ceux qui ont été exterminés, les Indiens et les Nègres, exploités, vaincus, opprimés... Mais rarement cela va plus loin que la « liberté sexuelle » (soi-disant naturelle!) et surtout le déguisement en Indiens, en Gitans, Chinois, Indous, Eskimos, carnavalesques... Hélas non, même pas carnavalesques, le carnaval étant drôle, amusant, plein de gaieté, d'humour et de fantaisie, alors qu'avec nos déguisés nous entrons dans un univers mortellement sérieux, pesant, farouche, accusateur, agressif, bardé de bonne conscience, haineux... Ce déguisement assurant la légitimité du jugement que l'on porte sur l'autre!

Mais enfin dans l'expulsion du costume et de la raison, on croit retrouver en faisant alliance ainsi avec les pauvres et les opprimés une authenticité naturelle. L'homme primitif n'a pas cessé de produire ses ravages. Il faudrait au moins rappeler que depuis longtemps on a renoncé à croire à la primitivité du sauvage, à la Naturalité du primitif. Si haut que l'on remonte, si « primitive » que soit la peuplade étudiée par l'ethnologue, on s'aperçoit que tout groupe humain obéit à un réseau minutieux de règles, de prescriptions, d'ordonnances : il n'y a aucune « naturalité », aucune spontanéité; on trouve partout des statuts, des hiérarchies, des codes... Et bien au contraire, il apparaît que la contestation de ces statuts, de ces hiérarchies, de ces codes, c'est précisément l'œuvre de l'homme occidental, si bien que nos excellents jeunes révolutionnaires qui se détournent avec fureur des rationalités occidentales se bornent à continuer purement et simplement à exprimer ce qui depuis plus de deux mille ans est exactement la spécificité de ce monde occidental qu'ils veulent fuir et renier! Ils en ont honte? alors, soit, que l'on change et que l'on avance. Mais on n'a encore trouvé aucun moyen supérieur à ceux qui sont entre nos mains, il y faut une plus grande exigence et non pas un laisser-aller, une plus grande rigueur et non pas un retour au sein maternel. Ce qui fait bien éclater le caractère étrange et décevant de

ces grands élans vers la primitivité, la « nature » c'est le
choix des voies et moyens. L'incohérence sexuelle, la sura-
bondance des expériences en ce domaine, la drogue, le déguisement... autrement dit, c'est le chemin le plus artificiel, le
plus sophistiqué, le plus antinaturel qui soit[1]. Prétendre
libérer par la drogue les pulsions intérieures, ou au contraire
dépasser en planant la condition humaine, c'est en réalité
aussi antinaturel que la culture de l'énergie pour se dépasser
soi-même (très occidental!). Prétendre que l'on revient ainsi
aux mœurs primitives, c'est oublier que simplement nous ne
sommes plus des primitifs, et que cela ne dépend pas de
nous que nous le soyons. Ce n'est pas en dix ans qu'on en
effacera deux mille cinq cents! La « voie » de Tim Leary est
seulement l'expression de la sophistication occidentale, rien
de plus! Il n'y a aucun retour aux sources. Toute la phar-
macopée des opiums et des kifs n'est rien de plus qu'un déguisement complémentaire, une couche ajoutée aux strates sédi-
mentaires de l'homme occidental, car il faut bien prendre
conscience que d'une part les hallucinogènes correspondaient
dans les sociétés traditionnelles à des besoins précis que
nous n'éprouvons plus (chez nous, il s'agit simplement
d'occuper un ennui ou de faire un exploit!) — et d'autre part
leur usage était socialement parfaitement cadré, moyen d'une
alternance par exemple, alors que chez nous ils ressortissent
à l'incohérence. Il n'y a aucune commune mesure, aucune
ressemblance entre l'usage et la drogue des mondes extérieurs
au nôtre, et le nôtre. Nous ne rejoignons absolument pas une
primitivité, une naturalité : nous nous confirmons dans une
sophistication, qui nous fait perdre assurément la voie sei-
gneuriale ouverte par l'Occident, sans rien gagner d'autre à

1. Bien entendu en tout cela je conserve le vocabulaire courant
dans les mouvements que je critique. Il faudrait prouver qu'il y a
une nature de l'homme, et montrer quelle est cette nature, pour pouvoir définir ce qui est antinaturel! Mais ces groupes n'en ont aucun
souci!

la place. Parlons alors de suicide, et nous serons d'accord. Mais il en est de même pour les déguisements en Indiens et autres — c'est une idée parfaitement occidentale. Résultant toujours de ce processus de critique et de mise en question que nous avons inauguré. Mais, ici, la critique se fuit. Le déguisement est la négation de soi, sans se retrouver dans un autre. Nous refusons d'être nous, mais comment deviendrait-on Lapon en portant des bottes eskimos (en plein été, cela va de soi) et même en s'enduisant d'huile de phoque? Simple rejet, sans rien changer. Et s'il n'y a pas suicide, il y a seulement dérision. Mais dans ce temps et ce monde, la haine de la raison a pris une autre ampleur : le monde occidental est accusé parce qu'il a rejeté le fou. L'abomination de la raison c'est d'avoir exclu le fou après l'avoir étiqueté. Le triomphe de la raison, cela est bien exact, a tellement marqué cette société que tout ce qui n'est pas rationnel doit être écarté. Le fou est l'ennemi qui met en question la primauté de la raison. Mais il y a eu des étapes bien différentes et je ne suis pas sûr que se soit finalement la raison qui ici soit en cause. On sait que dans les sociétés traditionnelles le fou est étroitement mêlé à la vie du corps social, qu'il n'est pas mis à part, encore moins enfermé. Il a un statut et peut vivre sans peine de ce que tout le monde lui donne, et ses propos ou ses conduites aberrants sont considérés comme le fait d'une possession. Mais il y a des possessions « heureuses » permettant au fou de vivre et d'exprimer une parole des dieux ou un aspect du sacré. Il y a des possessions « malheureuses » par des démons, qui soit font du fou un danger pour tous, soit le conduisent vers le suicide. Alors, on pense qu'il faut tenter de le guérir. Cela se rencontre dans toutes les sociétés, et nous en avons un excellent exemple dans les Evangiles, quand Jésus va guérir le fou qui vit dans les tombeaux, sur le territoire des Gadaréniens. Or, même à l'époque de l'affirmation de la raison, comme en Grèce, on ne change pas tellement l'attitude sociale envers le fou.

Même à Rome (et contrairement à ce que dit Foucault dans son histoire de la Folie, qui est une somme d'erreurs historiques; et qui devrait avoir pour titre : le Roman de la Folie d'après Foucault! car au point de vue historique sa méthode et l'utilisation des connaissances sont inacceptables), le fou est civilement diminué (pour les actes juridiques) mais nullement exclu de la société ni enfermé. Et l'on retrouve pendant tout le Moyen Age la même attitude. Le christianisme n'exclut pas le fou, la recherche de la raison non plus. Mais ce qui est vrai c'est que l'action consciente est claire, la cohérence de la personnalité comme du discours, la rationalité des comportements deviennent de plus en plus importants, et de ce fait le fou devient un personnage marginal. Pas tout à fait cependant puisque l'on sait le rôle du fou auprès du monarque. Vieille tradition aussi, que le Moyen Age occidental a conservée. Le Fou est alors celui à qui tout est permis précisément parce qu'il est fou (on peut dire que c'est l'inverse de la position du XIXe siècle). Il peut tout dire au roi et l'accuser de tout, avec une ambiguïté profonde : il peut tout dire, parce que sa parole, n'étant pas raisonnable, n'a aucune importance — et aussi parce que sa parole vient d'un tréfonds sacré, est inspirée d'une force trouble et fondamentale sur laquelle nous ne pouvons rien et qui exprime une vérité au-delà de la vérité raisonnable. Or, ce rôle de fou auprès du Souverain est l'exacte correspondance de son rôle dans la société entière, et à l'égard du corps social. La situation va changer lorsque la raison s'incarne dans le pouvoir politique centralisé et dans le processus « science technique ». Alors ici, quand toute la société se concentre en un homme souverain, puis en un gouvernement et quand tout doit être soumis à la science et à la technique, le fou n'a plus aucune place et doit être mis en marge de la société. Remarquons d'ailleurs que cela s'est aggravé considérablement avec le triomphe de la démocratie : en effet le souverain de droit divin pouvait se permettre d'avoir près de lui un fou qui le ridiculise : il était tellement au-dessus, tellement assuré dans son pouvoir que l'insulte était tolérable, et le dialogue possible. Mais le Président d'une République est tellement fragile, il n'a en lui aucune majesté, aucune supériorité : il faut donc absolument qu'il conserve une dignité sans tache, on renforce les protocoles, les honneurs, les apparences de grandeur parce que la grandeur n'y est pas. Le fou grimaçant n'est pas convenable aux côtés d'un président. Il était la contrepartie naturelle d'un roi. Mais il faut peut-être encore préciser : pour les communistes, tout ce que je viens de dire est inexact parce que (et l'on pense que c'est une géniale découverte, alors que c'est seulement le moyen de se mettre du bon côté, d'avoir bonne conscience, de ne pas être impliqué et d'avoir une explication simple et rassurante — autrement dit c'est une rationalisation de la situation!) il s'agissait d'Etat *bourgeois* et de Science *bourgeoise*. C'est la bourgeoisie qui a exclu le fou. Je suis d'accord si on me dit que la bourgeoisie a porté à l'extrême le souci de la rationalité, qu'elle est tombée dans le rationalisme, mais ce n'est pas le fait d'être bourgeois qui est l'élément important : c'est le fait de l'Etat et de la Technique qui *qualifient* la bourgeoisie et non l'inverse [1]. La bourgeoisie n'a été que l'agent temporairement investi, le vecteur historique de ces forces autrement importantes. Croire que le monde moderne est qualifié par la bourgeoisie c'est obéir à la mythologie selon laquelle les tremblements de terre proviennent d'un mouvement de la tortue sur la carapace de qui repose la terre. C'est bien la bourgeoisie qui a exclu et enfermé le fou, mais non pas en tant que telle, simplement en tant qu'elle portait à son paroxysme la rationalité, l'appliquait à toute chose et ne pouvait supporter les irrationalités. Dans les sociétés socialistes, on sait parfaitement que les fous sont enfermés, exclus, enchaînés, comme dans le monde bour-

---

1. Ce que j'ai démontré dans *Mémamorphose du bourgeois*.

geois. Et où donc vient de naître la protestation contre cette exclusion du fou? où donc a paru l'antipsychiatrie? Dans l'Occident capitaliste, chez les intellectuels de cet Occident, et très précisément chez les intellectuels bourgeois, fils de bourgeois, petit-fils de bourgeois, bourgeois jusqu'au bout des ongles, nouvelles incarnations du libéralisme intellectuel bourgeois, porteurs d'une raisonnable science bourgeoise (ayant il est vrai adhéré à une idéologie interprétative différente, mais issue elle-même de la bourgeoisie! Ce qui prouve que ce n'est pas une affaire de classe, mais d'idéologie!). Et non pas du tout dans le prolétariat.

Les prolétaires urbains ne sont pas tendres pour les fous, et ne voient pas du tout pourquoi il ne faudrait pas les enfermer. Quoi qu'il en soit, ces longues explications sont là pour rappeler la mise en accusation actuelle de l'Occident au nom du fou. Celui-ci, dans le discours émouvant de l'antipsychiatrie, n'est que la production de cette société. Il est son remords et sa culpabilisation. Il est la preuve vivante de son mensonge et de son délire. C'est cette société qui est folle, non pas le fou qui essaie de maintenir une authenticité humaine et l'incohérence de son discours n'apparaît que dans la mesure où la cohérence de la société est une logique folle mais exclusive. Je m'accorderais bien avec ce diagnostic, mais à condition de dire qu'il s'agit, dans la société technicienne, de la trahison de l'Occident et non pas de son expression — qu'il s'agit du rationalisme délirant et non pas de la raison. Mais voici que précisément, les défenseurs (légitimes) du fou ne font aucune distinction : la sagesse maintenant n'est plus dans la recherche raisonnable, la pensée soumise à la raison, elle est dans l'explosion verbale du délirant. Artaud finit, à condition de le prendre à son stade ultime, par remplacer Pascal. Au nom du fou exclu, on rejette non pas les structures de cette exclusion, Etat et Science-Technique, mais le comportement et le discours de la raison qui semblent terroristes et mutilants.

C'est vrai que la raison implique des choix mais peut-on simplement vivre sans effectuer de choix. Et le choix en faveur du fou n'est-il pas acte de raison? Et après tout dans le monde naturel, livré à lui-même, le fou survivrait-il? Si l'homme n'avait dès l'origine eu un comportement qui n'était pas fou, y aurait-il des hommes? Si l'on me dit que cela est sans importance, alors cessons également de plaidoyer pour les fous, les emprisonnés, les affamés, les prolétaires, car ils n'ont pas non plus, dans ces conditions, d'importance! Le fou n'est détenteur d'aucune vérité, ni en soi, métaphysique, ni sur l'homme et dans ses profondeurs. Le discours du fou n'a d'importance que par rapport à la raison, et à l'intérieur d'un monde raisonnable : c'est là qu'il devient signifiant. Mais si le rationalisme étatique et technique se devait d'exclure le fou, la raison, elle, n'a jamais cessé d'écouter la parole du fou, elle se situe elle-même dans ce dialogue et dans cette tension. Elle n'est pas un déroulement monomaniaque de fermeture et d'exclusion! Ainsi condamner aujourd'hui la raison au nom de la légitimité du fou, c'est détruire la seule puissance qui puisse rendre au fou son authenticité. Mais l'exaltation en faveur du fou, comme celle en faveur du « primitif », est parfaitement aveugle et prête à toutes les mutilations, pourvu que l'on détruise avec une rage sanglante cet affreux Occident, cause de tous les maux!

On ne peut quand même manquer de poser la question, mais enfin pourquoi, au nom de quoi se livrer aux instincts et aux passions serait-il plus humain que la construction volontaire et ferme d'un certain type d'homme, caractérisé par la raison, la maîtrise de soi... L'homme occidental? Passions et instincts sont assurément fondamentaux, mais enfin est-ce cela qui fait l'homme? Obéir purement et simplement à « l'énergie sexuelle » (l'orgone du pauvre Reich!)

est-ce cela être homme? adopter des comportements que l'on va légitimer en disant qu'ils sont naturels parce qu'ils sont (croit-on) comparables aux comportements animaux est-ce cela qui est l'homme? Est-ce l'identité à l'animal ou la différence? Bien entendu, pendant si longtemps on a orgueilleusement souligné toute la différence. Aujourd'hui, c'est le retour du balancier. Mais sans y mettre un point d'honneur, on est obligé de constater que la spécificité de l'homme est liée à la différenciation d'avec les conduites animales directes. La ritualisation n'est pas la même et surtout l'homme a été spécifié par la symbolisation. Et nos contestataires actuels de la raison, du type de l'homme occidental, seraient bien embêtés s'il leur fallait renoncer à la symbolisation! Ils ne s'en rendent même pas compte! Or, la symbolisation conduit à l'invention de la raison, car il n'y a pas nécessairement opposition entre la raison et le monde mythique! En réalité la nouvelle proclamation de l'instinctivité, de la primauté du délire, c'est une régression mortelle en deçà du moment où l'homme devient homme. Je l'ai souvent écrit, l'homme a été, non pas quand il a affirmé sa supériorité sur d'autres espèces ni quand il a usé de son premier pebble mais quand il a formulé la règle : « Tu ne tueras pas. » Cela était l'homme. Et le début de la raison. Et le début de la maîtrise de soi. Bien plus, comment pourrait-on séparer l'homme de l'artificialité? On sait que les ossements retrouvés par des préhistoriens sont considérés comme indubitablement humains quand ils sont associés à des fragments d'outils, c'est l'invention de l'outil, du moyen artificiel pour obtenir un résultat, qui environne l'homme et lui assure sa persistance. C'est la contradiction à *la* « Nature » autant qu'à *sa* « nature » qui nous découvre l'homme. Il a construit un artificiel, il est un artifex, il vit d'artefacts, il n'a aucun autre moyen de se déclarer homme et de se développer en tant que tel. Alors, quand cette construction volontaire et ferme du monde s'exprime dans une construction de l'homme lui-même, comment pourrions-nous dire qu'il y a trahison, que cela n'est pas l'humain et que c'est un retour à la primitivité seule qui le sauverait! Non certes, la Raison, le Contrôle de soi, inventions de l'Occident, sont les sommets de la découverte de l'homme par l'homme. Jamais l'homme n'a été si bien réalisé, n'a été porté à un tel sommet, n'a été si accompli. Mais jamais le danger ne fut si grand de la double rupture. Le retour en arrière, par impossibilité de vivre dans cette tension, cette rigueur, cette maîtrise (et c'est l'abandon dans la veulerie de nos néo-gauchistes) — ou bien le basculement dans le délire de la puissance rationnelle (et c'est le démoniaque technicien). L'Occident a créé le meilleur et a produit le pire parce que l'homme ne pouvait pas rester à un point d'équilibre si parfait et si fragile.

Raison, Maîtrise de soi. Mais n'oublions pas le contexte : il s'agissait, avons-nous dit longuement, des freins indispensables à l'invention de la liberté. L'homme libre, dans cette liberté consciente et voulue de l'Occident, ne pouvait être l'homme de la spontanéité, du déchaînement, des appétits. Les médiocres héros de la *Grande bouffe* ne sont à aucun moment libres : ils sont des marionnettes enchaînées. Une liberté incontrôlée devient dramatique. Les conditionnements psychologiques et sociaux ont été passés au crible critique et progressivement éliminés. Les barrières naturelles ont été dominées par la technique. L'homme occidental a les moyens d'une maîtrise absolue, cependant qu'il hérite la grande invention de la liberté. Alors tout est en danger si la liberté n'est pas elle-même contrôlée, maîtrisée — c'est ce que nous disions, en même temps la Raison, la Maîtrise de soi sont les agents du bon usage de la liberté. Que se passe-t-il si on les rejette? Il ne faut se faire aucune illusion, nous n'allons pas accéder à une société de pure anarchie, de radieuse spontanéité. Le corps social semble réagir comme un organisme biologique qui produit ses antitoxines. Mis en cause et en danger par cette apparence de liberté absolue, il remplace les freins intérieurs qui n'ont pas pu se mettre vraiment en place par des freins extérieurs, qui sont d'autant plus puissants que la double menace de puissance et de liberté sera plus grave. Nous retrouvons la thèse juste de Lorenz avec l'agressivité. S'il n'y a pas de freins intérieurs, il faudra élever des barrières extérieures. Si la puissance mise en jeu est considérable, il faudra des freins d'une efficacité redoutable. Telle est exactement, strictement, rigoureusement l'explication de fond des dictatures modernes.

Là où en même temps s'affirme la liberté qui se veut absolue, où l'on nie la valeur de la raison pour plonger dans les délices passionnels, où s'accumulent les moyens d'action, alors il n'y a plus qu'un moyen pour empêcher le suicide collectif, c'est la dictature. Seuls la raison et l'acceptation d'une stricte maîtrise personnelle, d'un self control exact, le souci d'une rigueur de conduite sans bavure, d'une critique permanente de soi par soi, d'une cohérence interne, d'un discours rationnel critique sans concession, sont les données de fond pour empêcher la croissance des fascismes. Si bien que ceux-ci ne sont pas du tout le produit volontariste énergique de groupes d'extrême droite, ni l'expression des sournois intérêts de la bourgeoisie qui se défend. En réalité groupuscules fascistes et machiavéliques capitalistes ne sont que les agents occasionnels de la réaction profonde du corps social en présence de la destruction des freins de l'agressivité. Les véritables agents de la croissance du fascisme, ceux qui en rendent l'apparition inévitable ce sont les délirants de toute sorte, les sexistes, les irrationalistes, les primitivistes, ceux qui avec une touchante ignorance croient défendre la liberté au M.L.F. ou au F.A.H.R., alors qu'en réalité ils sont les immédiats producteurs, annonciateurs et fourriers du fascisme. Les gauchistes inconséquents confondant liberté avec agressivité, et qui pensent par catégories automatiques, lutte de classe, répression, génocide etc. mêlant tout avec tout sous prétexte que « le système est récupérateur », et qui croient être radicaux parce qu'ils tiennent un discours aussi confus que violent... Leur bonne volonté, leurs bonnes intentions, s'effaceront comme un brouillard quand souffle le vent. Mais c'est eux-mêmes qui par leur propre vide, leur propre insistance appellent ce vent dont on ne peut dire qu'il sera purificateur, puisqu'il portera avec lui la glaciation peut-être dernière, l'ultime négation de notre société, de l'Occident.

III

Mystère de l'Occident

Une des banalités admises est de considérer que l'Occident est le fruit de la conjonction entre la pensée grecque, l'ordre romain et le mouvement chrétien. Ceci paraît tout évident. Et les historiens ou les essayistes écrivent cette évidence sans un sursaut, sans une question — Comme s'il y avait là des couches adaptables, superposables l'une à l'autre, et que leur conjonction ne fasse pas problème. Et certes, on peut dire que historiquement et en fait, il y a bien eu cette conjonction, cette superposition, dans une certaine mesure cette fusion sans que l'on puisse parler de synthèse. Mais on oublie aisément à quel prix! Que la pensée grecque ait été totalement déformée, falsifiée, détournée par les théologiens et philosophes chrétiens. Que l'ordre et la puissance romains aient été ruinés par le christianisme, puis repris et réorganisés en des termes et des modes barbares, que le christianisme se soit mondanisé au contact précisément de cette politique, de ce droit, puis ait été totalement perverti au contact de la philosophie grecque... Non certes, il n'allait pas de soi que le mélange se fasse, et l'on ne peut pas dire qu'il ait été heureux. Nous sommes en présence d'éléments contradictoires. Et plus encore si nous concevons le christianisme non comme un système religieux ou une pensée semi-philosophique, ou une morale, mais effectivement comme la Révélation de Dieu en Jésus-Christ. Il faut avoir le courage de considérer que les facteurs qui se sont rencontrés n'étaient pas faits pour aller ensemble, que les forces qui se sont conjuguées étaient contradictoires. Le mystère de l'histoire (et on peut dire de toute l'histoire humaine si on prend Jésus-Christ au sérieux) tient, depuis Jésus-Christ, au fait que ce soit en Occident que le développement du christianisme ait eu lieu, que la Révélation se soit diffusée. Cet Occident qui est en lui-même l'inverse de ce que Dieu nous apprend et nous fait vivre en Christ. Le mystère de l'Occident, c'est que depuis vingt siècles, il est tiré entre deux facteurs rigoureusement contradictoires, dont, malgré ses efforts, ses trahisons, ses compromissions, il n'a jamais pu assurer l'unité, l'équilibre et l'ordre. Et si dans ma réflexion sur « l'Espérance au temps de la déréliction », il m'a paru bon de prospecter cette contradiction, c'est parce que notre situation aujourd'hui, en Occident, fait éclater comme jamais la contradiction des deux orientations, l'apparente unité, la grandeur issue d'une fragile synthèse étant aujourd'hui mortellement mises en cause.

Qu'est-ce qui caractérisait ce monde méditerranéen? L'intelligence grecque avait sondé les profondeurs de l'homme. Jamais, ailleurs, autant de lucidité alliée à autant d'audace et de rigueur n'avaient été communément, délibérément appliquées. Tout y était passé. De la cité au Monde, des Dieux aux hommes, de la Vertu à la Valeur, de l'Ethique à la Métaphysique, et tous les modes de pensée, de la systématique à la passion, de la pensée froide à l'application, de la maïeutique à la dogmatique, tous les modes de raisonnement; et toutes les écoles, toutes les interprétations possibles, en un temps incroyablement court, tous les modes de la pensée et tous ses objets avaient été cernés. Le mythe avait exprimé ce que la rationalité ne pouvait formuler. Le monde des dieux et des hommes avait été mis au clair, réellement élucidé. Toutes les audaces avaient été possibles. Et les dieux brusquement avaient été détrônés, utilisés, réduits. Comme jamais nulle part, la raison triomphante pouvait s'affirmer tranquillement supérieure à ces vaines ombres, et leur assignait un rôle, les faisait agir sur la scène qu'elle avait elle-même construite. Rien n'échappait à la gloire de cette pensée. Tout était ramené à l'absolu de l'homme, tout était maintenant à hauteur d'homme, de cet homme à la fois parfaitement équilibré, somptueux mais aux yeux vides de la statuaire grecque. Il n'était pas le seul, il était accompagné de son cortège de masques grimaçants, qui étaient l'homme aussi, mais pris dans une autre dimension, situé dans une autre perspective. Les monstres n'étaient jamais absents, et constituaient aussi une vision nécessaire du monde humain. Ils étaient, comme les dieux, dépouillés de leur spécificité, de leur autonomie, de leur secret, pour être ramenés à la hauteur de l'homme, mythes de l'angoisse humaine, forces obscures habitant l'homme, à la fois l'animant et possédés par lui. L'intelligence avait fait main mise sur l'ensemble de ce qui se pouvait concevoir. Et puis vint Rome. L'autre pôle de la même tendance, de la même volonté. Rome dominatrice et organisatrice, mais dans un autre ordre, celui du politique et de l'« extérieur » humain. Le spécialiste de Rome connaît aujourd'hui quelque irritation à la description que les essayistes politiques ou des pseudo-historiens donnent de cette histoire et de cette entreprise. Rome fondée sur l'esclavagisme, expression de la lutte des classes, dominant le monde par la terreur militaire, Rome abjecte et hypocrite, exploitant les nations et réduisant les peuples soumis à la misère... exacte contrepartie de la gloire attribuée à Rome, mère des arts, des armes et des lois, établissant la paix pendant des siècles, amenant les peuples à leur majorité, procréant un ordre jamais vu, et que vainement on s'essaiera à reproduire, créant le droit avec le souci de la justice, ordonnant un système constitutionnel miraculeusement équilibré... Deux images de propagande, la première marxiste, la seconde... romaine, aussi fausses et inadéquates l'une que l'autre. La vérité de Rome n'est pas là. Il est bien exact que l'on peut s'émerveiller qu'avec une si petite armée, Rome ait pu non point conquérir mais ordonner et maintenir ensemble les pièces incohérentes de son Empire. Les Romains ont eu un génie politique, juridique, administratif qui n'a jamais été atteint. Si l'absolu de la philosophie a été montré en Grèce, l'absolu de la politique l'a été à Rome. Equilibres et subtilités, inventions juridiques *appliquées* et suffisantes pour qu'à la fois une justice politique et un ordre règnent ensemble, renouvellement incessant des institutions non par une prolifération absurde mais par une croissance exactement concordante aux situations nouvelles, invention générale (qui tracera le destin politique de l'Occident) du concept d'Etat, généralisation de la volonté démocratique, affirmation de la supériorité du droit à la volonté du prince... Tout ce qu'il est possible de dire et de faire en politique, et dans le monde administratif ou juridique a été dit et fait à Rome. Mais l'essentiel est de comprendre que Grèce et Rome ont obéi au même mouvement, que la même inspiration, chacune dans son domaine, les promouvait. Il s'agit de l'Eros. Et je n'hésite pas à reprendre, malgré les critiques dont elle a été l'objet, l'opposition entre Eros et Agapé de Nygren, même si on peut discuter sur l'exactitude de la traduction d'Eros, amour possessif, captateur, qui cherche à prendre, et à dominer. Après tout, peut-être pas si éloigné qu'on le croit souvent de l'Eros freudien. Amour passion conquérante et ascendante de l'homme, même si on affirme que chez les penseurs grecs l'Eros n'est pas que cela, ce que je veux bien croire, c'est un terme commode pour distinguer une certaine attitude de vie : si Nygren n'a pas procédé à une restitution correcte du sens, il a effectué une attribution de sens parfaitement utile et historiquement vraie pour décrire une certaine attitude de l'homme, qui fut celle de Rome et d'Athènes. Elles ont obéi à la volonté de puissance. Quête de la domination intellectuelle, de l'explication sans accepter de limites spirituelles, de la mainmise sur les dieux et les hommes : Eros captateur dans le monde de l'intelligence — et de l'autre face, quête de la domination politique, de l'ordre établi sans accepter de limites ni géographiques ni sociales ni économiques, de la mainmise juridique sur les dieux et les hommes : Eros captateur dans le monde du politique. Telle fut leur grandeur. Toute l'intention secrète d'Athènes et de Rome tient là. Dans un espace étonnamment réduit, l'homme est arrivé à concentrer la totalité de l'Eros — à dresser son front au-dessus de la condition humaine.

Pour la première fois l'exaltation de l'homme trouvait sa voie, et, en termes éthiques, disons l'orgueil de l'homme s'épanouissait sur tous les plans, avait enfin trouvé une forme, combien plus parfaite et satisfaisante que celles, antiques, d'Egypte et de Chaldée. Tel est bien ce monde — où tout est ramené à l'homme. Tout est fait pour exalter la grandeur de l'homme. Tout se trouve subitement humanisé par les deux voies royales, que, depuis il n'a jamais quitté.

Et c'est exactement là, dans cet univers que va être porté

l'Evangile — c'est-à-dire la contradiction absolue, dernière, sans réticence — Mythe de Babel devenu Histoire. L'homme a construit, sur le plan intellectuel et politique. le monde de l'homme aussi exclusif et complet qu'il sera jamais possible, et Dieu dit : « Descendons et allons voir... » Comme s'il y avait une sorte de volonté divine de porter la contradiction au centre de la prétention de l'homme. Car, ce que Dieu allait introduire dans cet univers de l'Eros, c'est son contraire décisif, l'Agapé. Etrange aventure de l'Occident à partir de ce moment, possédé par l'Eros plus que toute autre région du monde, dominé par lui plus que toute autre civilisation et brutalement pénétré par son inverse, choisi en quelque sorte pour porter la révélation de l'Agapé. C'est de cette contradiction que l'Occident ne s'est jamais relevé. Il a eu dans ses flancs une blessure envenimée qui ne s'est jamais guérie. Il avance dans sa voie propre, celle de l'Eros, mais il ne peut plus le faire avec triomphe, sagesse, bonne conscience. Il exalte son œuvre mais retombe dans sa propre accusation. Il tente d'impossibles synthèses et trahit chaque fois une orientation ou l'autre. Occident pour jamais déformé, malade, impuissant à être lui-même. Dieu a ouvert une brèche dans cette réussite et cette exaltation, et qui ne s'est jamais fermée. On a dit à juste titre (H. Massis) que le christianisme avait été la maladie de l'Occident. Mais il faudrait alors accepter que la volonté de puissance est la santé. Il reste vrai que nous sommes en présence de deux puissances rigoureusement contradictoires et inconciliables, et que l'Histoire de l'Occident est faite de cette contradiction. Il est vrai pour le chrétien que s'il en est ainsi c'est, selon ce que les Ecritures nous révèlent de façon constante au sujet des décisions de Dieu, que l'Eternel intervient, là où précisément l'homme accède au sommet de son autonomie et de sa puissance.

Si telle est la structure de l'histoire de l'Occident, on peut donc dire que le moment décisif fut cette nuit où Paul eut un songe dans lequel Dieu lui donnait l'ordre de passer le détroit et d'entrer en Grèce. Les Actes nous le rapportent ainsi : « Pendant la nuit, Paul eut une vision : un Macédonien lui apparut et lui fit cette prière : passe en Macédoine et secours-nous! Après cette vision de Paul, nous cherchâmes aussitôt à nous rendre en Macédoine, concluant que le Seigneur nous appelait à y annoncer la bonne nouvelle. » (Actes XVI, 6-10.) C'est de cette vision qu'a dépendu la spécificité de la civilisation occidentale — c'est à ce moment que se noue son mystère et sa contradiction. C'est le moment précis qui a fait toute l'histoire de l'Occident. Imaginons un développement du christianisme vers l'Orient, et nous avons une histoire radicalement autre, tous les événements historiques majeurs sont seconds à côté de ce songe. Car enfin Marathon ou Salamine en changeant de vainqueurs n'auraient pas changé la civilisation, César n'aurait pas été assassiné, Auguste aurait été vaincu, Alexandre aurait pu vieillir ou aurait échoué dans ses conquêtes, pratiquement rien dans l'histoire du Monde n'aurait été modifié. Des détails, des équipes dirigeantes, des accélérations ou des retards, tout ce que l'on peut constater quand on modifie un événement historique... au contraire tout est radicalement autre si le monde méditerranéen reste païen, se développe dans sa propre ligne et accroît son expansion par l'impulsion germanique. Tout est radicalement autre si l'esprit de puissance occidental trouve libre carrière sans mauvaise conscience : le Moyen Age n'est plus le même, et le capitalisme non plus... Tout est radicalement autre si l'Orient devient chrétien... le songe de Paul est le moment crucial de la civilisation occidentale. C'est le moment qui est l'acte radical de Dieu sur le plan politique et intellectuel. Je récuse l'action de la Providence car Dieu n'est pas une providence. Et ses actes dans l'his-

toire sont rares et secrets. Le songe de Paul est typique :
il est appelé par sa vision à une annonce de l'Evangile.
Il est appelé au secours par un homme qui attend le Salut.
Or, c'est cette décision se référant *seulement* à la *prédication* et à la proclamation du *Salut,* qui va faire l'histoire,
bien plus que toutes les luttes des partis politiques de
l'époque, bien plus que les conquêtes et les conflits de
classe — bien plus que les grands hommes et que les modes
de production — Dieu a infléchi l'histoire, et la politique
et la société et la civilisation par une vision, qui a un autre
objet que l'histoire, la politique, la société ou la civilisation.
Dieu fait pénétrer une autre dimension dans le cours des
créations de l'homme, indispensables certes, mais qui ne
pouvaient trouver leur sens profond que dans la contestation de Dieu. C'est pourquoi les lectures providentielles
coutumières me paraissent inexactes. Ainsi, des historiens
ou des théologiens ont dit que le christianisme avait pu
se répandre aussi rapidement parce que Rome avait unifié
le monde connu. Pour les uns c'est une explication rationnelle. Pour les autres, c'est l'attestation de la Providence
travaillant secrètement dans l'histoire, conduisant Rome à
la conquête du Monde en vue de la diffusion de l'Evangile.
Mais ni les uns ni les autres ne tiennent compte de l'obstacle
gigantesque représenté par cette civilisation gréco-latine,
qui en tous points est l'inverse exact de l'Evangile. L'uni-
fication de l'Empire ne représente strictement rien (sinon
des possibilités de communication matérielle, des routes
et des navires), auprès de la contradiction de l'esprit de cet
Empire. C'est une vue bien futile que de croire pour les
matérialistes qu'à un Empire universel devait répondre une
religion universelle, ou pour les spiritualistes que l'œuvre
romaine était prophétique et aplanissement des voies pour
« celui qui devait venir ». C'est exactement l'inverse. La
logique eut été au contraire une diffusion du christianisme
vers l'Orient. Toutes les facilités pour les premiers chré-

tiens allaient dans ce sens. Venir proclamer une religion spirituelle dans la patrie des religions spirituelles, c'était recevoir un accueil favorable d'avance. Venir annoncer une résurrection de Dieu dans les pays où l'on connaissait déjà fort bien les dieux mourants et renaissants, c'était avoir un langage commun [1].

Venir annoncer le salut par la mort du Dieu, c'est en Orient que cela trouvait un écho spontané favorable. Qui plus est, comment les disciples auraient-ils été accueillis dans leur première étape hors de la frontière, chez les inquiétants ennemis de Rome, les Parthes, s'ils s'étaient présentés comme représentant un fondateur de religion qui avait été tué par les Romains : les Parthes auraient vu en eux des victimes de leurs ennemis, des alliés par conséquent. Et au-delà de la religion Parthe, les peuples asiatiques ont révélé par le bouddhisme leur aptitude au spirituel. Ainsi que ce soit le climat culturel, l'aptitude psychologique, la conjonction politique, tout, absolument tout, orientait le christianisme vers l'Orient. C'est là que la prédication eut été à la fois comprise et facile, qu'elle eut porté une signification directe et sans combat. Et voici que c'est l'inverse qui se produit. Erreur des disciples? impulsion sociologique qui orientait tout vers Rome? souci de ces Juifs de suivre le chemin de la diaspora juive dans tout le bassin méditerranéen, peut-être... Mais il me semble plus exact de croire finalement qu'il s'agit bien du combat que Dieu engage au centre de la puissance de l'homme, de sa

1. Car il ne faut pas oublier, lorsque l'on fait la comparaison entre la résurrection du Christ et celle des dieux, Attis et autres, qui renaissent, lorsque l'on dit que ces religions (mais non pas toutes, les plus sérieuses étant au contraire restées hors de l'Empire) ont créé un climat favorable à cette religion nouvelle, parce que diffusée dans l'Empire, on oublie que toutes ces religions viennent d'Orient, hors des frontières souvent, et étaient bien plus pures dans leur foyer d'origine qu'à Rome.

prétention, de son orgueil, de sa domination. Il n'y a, me
semble-t-il, aucune rationalité perceptible dans le développement du christianisme vers l'Empire. Et tant que l'on
cherche une cohérence, sociologique, psychologique, économique, philosophique entre ce développement et les
structures de l'Empire, on se condamne à ne rien comprendre. On entre dans l'imbroglio, dont le christianisme
n'est jamais sorti, de vouloir expliquer par ces circonstances
inverses la naissance du christianisme, de vouloir faire la
célèbre synthèse entre l'Evangile et la Philosophie grecque
ou l'Evangile et le droit romain, de vouloir additionner
l'Eros et l'Agapé. Ce que nous voyons aujourd'hui même,
entrepris à nouveau avec une inlassable patience par les
« nouvelles théologies » (cette fois l'Eros étant principalement politique et économique). Seulement à partir du
moment où l'on accepte qu'il y a une contradiction inso-
luble entre le socioculturel de l'Empire et de toute la
civilisation qui lui a succédé, et l'Evangile, on risque de
comprendre ce qui s'est passé. Mais on ne peut alors manquer d'être saisi par cette vision gigantesque, l'Occident
marqué dans son esprit et ses œuvres par l'Eros diony-
siaque *est* exactement ce qui fut choisi par Dieu pour porter
la Révélation de l'Anti-Eros, de l'Agapé, du don au milieu
du rapt, de l'abaissement au milieu des puissances, de
l'Esprit au milieu des structures, de la liberté au milieu des
rationalités... La grandeur et le drame de l'Occident rési-
dent exactement dans ce conflit. L'Occident n'a jamais pu
s'achever parce qu'il était attaqué dans ses œuvres profondes par un Evangile qui lui était contradictoire, et qui
sapait sans fin toutes ses constructions. Le christianisme
n'a jamais pu être lui-même parce qu'il était empêtré dans
un ensemble de systèmes qui tendaient sans fin à l'assimiler. La grandeur de l'Occident consiste en ce qu'il est
le point où Dieu a porté sa contestation radicale et dernière
à l'homme parce qu'il est le point où l'homme a atteint sa

grandeur. Nous sommes en présence du défi de Dieu porté au défi de l'homme. Le christianisme a été l'attestation de l'Autre Amour, quand l'homme a renoncé à l'amour pour la puissance. Et Dieu ne luttait pas à armes égales, il ne revenait pas dans la puissance de celui qui confondait Babel ou qui déclenchait le Déluge, mais tentait d'atteindre au centre même du débat, le cœur, la racine, il tentait de remonter à l'origine de cette aventure pour lui donner une autre origine et lui faire prendre un autre cours. Dès ce choix de Dieu, choix du lieu et choix du sens, le conflit se nouait, l'Occident devenait le lieu du combat spirituel le plus radical, et toutes ses œuvres, ses créations, ses progrès politiques, intellectuels, économiques, techniques sont le fruit de cette tension, de ce conflit, de cette inlassable rencontre de l'homme qui veut être lui-même et de Dieu qui veut que l'homme soit lui-même, mais ce « lui-même » n'est pas identique dans les deux visions. Il est contradictoire.

Et maintenant? Voici qu'il me paraît qu'aujourd'hui nous soyons arrivés au sommet de la tension, du conflit, de la contradiction. L'Occident a, depuis deux siècles, accompli un pas de géant dans la direction qui avait été tracée par l'Eros philosophique et politique. Jusqu'ici en effet nous avions eu la *prétention,* l'orgueil, la volonté de l'Eros, nous avions eu les intentions de la puissance, de la domination, de l'autogenèse humaine, mais bien peu de moyens. Maintenant, dans son refus de Dieu (même bien sûr quand il l'acclimate, en fait un prétexte social, l'objet d'une religion sociologique, et l'inspirateur falsifié d'idéologies et de politiques), l'homme est arrivé à marquer un point décisif : il a les moyens de son Eros et de son hybris. Dans le conflit, après que Dieu avait été traité par ruse et stérilisé en engluant sa révélation dans les habiletés scolastiques et les mensonges politiques, l'homme se trouve soudain muni de

moyens si puissants qu'il lui semble ne plus avoir besoin de
ruser avec son adversaire, il peut attaquer de front, et
pratiquement anéantir tout ce que la Révélation avait tenté
d'introduire dans la voie de cette exaltation.

Aujourd'hui l'homme semble totalement vainqueur. Intellectuellement, ce n'est plus l'inefficace instrument de la
philosophie qui sert pour cette destruction, mais bien la
science qui accomplit enfin la volonté de rationalité, qui se
prouve en même temps au niveau de la rigueur intellectuelle et dans le domaine des applications : c'est l'homme
qui enfin réalise ce que les prophètes avaient annoncé
comme impossible, changer radicalement l'œuvre de Dieu,
modifier l'être de l'homme, ses conditions de vie, la nature
entière. Enfin l'homme peut anéantir, il provoque le passage
de la matière à l'énergie (peut-être anticréation...), crée
des matières nouvelles. Il s'assimile au Dieu créateur supposé de l'Univers. Mais en même temps, il a les moyens
pour changer la psychologie, la culture. Dieu devient non
seulement l'hypothèse inutile, et le « bouche-trou », mais
son Evangile ne peut plus être l'Evangile des souffrances,
de la liberté de l'Esprit, des dons, de la gratuité et quand,
de nos jours, on affirme cet Evangile des pauvres, c'est pour
les pousser à la révolte, à la violence, à la haine, c'est-à-
dire les faire entrer dans le chemin premier, de l'Eros et
de l'hybris. L'homme n'a plus besoin de ruser, de prendre
des détours et des prétextes, de tenter une assimilation de
cette révélation : il a gagné. Il est décisivement le plus
fort. L'Eros Gréco-romain se réalise enfin aujourd'hui par
l'application générale de la rationalité, par l'universalité du
politique. Le Dieu humble, mourant, livré, est enfin vaincu,
près d'être éliminé. L'agapé qu'il avait apportée est totalement domestiquée. Elle existe toujours mais n'a plus
besoin d'être référée au Dieu qui l'avait donnée aux
hommes. Elle est intégrée dans le système politique de cet
homme.

Et certes, Jésus a bien été crucifié aux environs de l'An 770 *ab urbe condita,* certes l'Agneau de Dieu est crucifié chaque jour, jusqu'à la fin du Monde. Mais c'est comme si, enfin maintenant la crucifixion atteignait sa pleine dimension historique. C'est maintenant que Jésus est véritablement et radicalement rejeté par tout, exactement tout, et dans tous les domaines, ce que l'homme pense, veut, entreprend, construit, consomme, etc. C'est maintenant que Jésus est véritablement et radicalement humilié : laissé simplement de côté, sans intérêt, sans signification auprès de ce que l'homme invente et se donne à lui-même. C'est maintenant que Jésus est véritablement et radicalement mis à mort, aucune de ses paroles, aucun de ses actes, aucun de ses miracles n'ayant plus de correspondance pour l'homme de cet Eros. Tant que la crucifixion de Jésus était au centre des intérêts, des regards, des pensées, il n'était pas vraiment crucifié. Maintenant, les moyens de l'homme ont détourné ses yeux, ses pensées, sa conscience de cette croix qui n'a plus d'autre utilité que de désigner les tombes. Maintenant alors, Jésus est vraiment crucifié, avec le plein sens que cela pouvait avoir, de mépris, de dérision, d'insignifiance, d'échec, d'abandon. Mais alors, se produit un phénomène nouveau. Dieu est vaincu, il est éliminé de cette société à qui il avait porté son défi. La croix de Jésus, qui devait être le signe de l'amour ultime de Dieu, est maintenant le signe de son échec. Eros a triomphé dans la croissance technicienne et politique [1]. Et Dieu se tait. C'est le grand silence que l'on sent planer, au moment de la crucifixion, auquel les récits évangéliques font allusion, et que Jésus, lui, a ressenti tragiquement.

C'est le grand silence cosmique auquel l'Apocalypse fait allusion avant l'ouverture du septième Sceau. C'est le

1. Voir à ce sujet l'excellent livre de J. BRUN : *Le Retour de Dionysos,* 1969.

silence de Dieu, Lui qui est Verbe, mais qui s'est retiré
dans son Incognito. Le Dieu de la Parole ne se révèle plus,
ne se fait plus entendre. Le bruit du monde, les paroles
exaltées par les moyens de communication de masse
n'étouffent pas la Parole de Dieu : car Dieu ne parle plus,
c'est tout. Et maintenant nous atteignons, me semble-t-il,
un nouveau défi de Dieu à ce monde. L'homme de ce temps
a voulu tuer le Père, et de fait, en éliminant le Fils comme
il l'a fait, il tue en effet le Père. Il a voulu substituer sa
puissance à celle supposée ou révélée de Dieu. Il a fait
les miracles qui semblaient revenir à Dieu (tels les magi-
ciens de Pharaon, aussi forts que Moïse et accomplissant
les mêmes miracles que lui... l'Herméneutique du Miracle
se trouve déjà là!). Il a maîtrisé la création et n'a plus
besoin de Providence. Il voit à portée de sa main les
réalisations des rêves de toujours, qu'il adressait à Dieu
dans ses prières. Il sait qu'il n'a plus de péché à pardonner,
car il s'agit seulement de maladies. Il n'a plus de vérité à
recevoir, car il est engagé dans la voie de la « Recherche
et développement » qui répondra de tout, et à tous. Le
salut ne vient plus des Juifs, on n'a plus à l'attendre de
Dieu : il est l'œuvre de l'homme par sa science et sa technique. Dès lors, que dirait encore Dieu, que pourrait-il
signifier encore à l'homme? Le Dieu révélé dans sa propre
humiliation se révèle toujours dans *cette* humiliation. Et
celle-là seulement. C'est une monstrueuse prétention de
l'orgueil de l'homme que de référer maintenant l'humiliation de Dieu, voulue et vécue en Jésus, à tous les hommes
souffrants, malheureux, humiliés, exploités. Les théologiens
qui déclarent que c'est dans la personne des *hommes pauvres* que, *exclusivement,* nous rencontrons Jésus, et que
c'est là la seule image de Dieu (la fameuse relation hori-
zontale) sont en réalité les théologiens de l'Eros et de
l'Hybris, conformes à l'esprit du siècle, contribuant à
accomplir l'œuvre de l'homme : dépouiller Dieu de son

œuvre, de son identité, dépouiller Dieu de ce qu'il a choisi d'être. Ils sont exactement aujourd'hui les grands prêtres et le sanhédrin qui déchirent leurs vêtements devant le scandale que Jésus puisse se déclarer Dieu. Ils sont eux, aujourd'hui les Pharisiens, bien plus que les prêtres et pasteurs classiques, institutionnels, rejetés dans l'ombre d'une histoire finie. Dépouillant ainsi Dieu, dans le domaine de la théologie, ils achèvent ce que l'homme occidental a fait dans les autres domaines. Et ce faisant, ils accomplissent effectivement l'humiliation de Dieu et la crucifixion de Jésus. Et comme Jésus devant Pilate, Dieu maintenant se tait devant cette offense, cette accusation, et dans ce qui peut être le dernier combat. Dieu se tait. Ce qui veut dire que ce monde qui s'est voulu seul, est seul. Il est abandonné dans sa déréliction. Or, écrivant cela, je n'énonce pas une hypothèse, une interprétation personnelle : je me borne à répéter ce que, tout du long, la Bible énonce, à savoir que Dieu se fait pour l'homme, marche avec cet homme, dans les voies que celui-ci a choisies, et engage une relation où Dieu est à la fois le Tout Autre et le plus intime. Mais alors se produit ici un événement considérable pour l'histoire de l'Occident. Si, comme j'ai essayé de le montrer, toute cette histoire est faite par le conflit, la tension entre l'Eros et l'Agapé, entre la prétention de l'homme à tout dominer et l'humilité du Dieu présent, si cette histoire est le produit toujours renouvelé du défi réciproque de l'homme et de Dieu, si le sens des entreprises de l'homme est justement donné par cette relation établie par la Parole de Dieu, alors le silence de Dieu *est* par lui-même la disparition du sens de cette histoire, et, à proprement parler, l'annulation, l'impossibilité de cette histoire. Le paradoxe de l'Occident n'existe plus. Il n'y a plus qu'un déroulement plat et incolore. Il n'y a plus qu'un jeu de forces et de mécanismes, il y a des structures et des systèmes. On ne peut plus parler d'histoire, et l'homme voit disparaître en même temps le

but de son combat, ses coups tombant dorénavant dans le
vide et l'immense obscurité, et la chance de sa vie. La déréliction du Monde est absence de Dieu, mais l'homme
découvre alors que c'est aussi l'absence de lui-même. Et
lorsque l'Occident accapare la vérité pour la proclamer aux
autres, il ne produit que la colère et la haine, et l'Occident
se meurt d'avoir gagné sur Dieu [1].

1. On aperçoit avec évidence, à la fin de l'analyse précédente, que
lorsque je parle des deux visages de l'Occident, je ne me situe pas
du tout au même niveau que Duverger dans *Janus, les deux faces de
l'Occident* — On connaît sa thèse — L'une de ces faces est le libéralisme avec l'aboutissement dans la Démocratie libérale, l'autre est
le capitalisme et la technique, ce qui produit une techno-démocratie.
Remarquons que lorsqu'il analyse cette dernière, il se borne à reproduire exactement ce que j'avais écrit en 1950 sur les effets de la
technique sur la Démocratie, puis en 1960 sur les effets de la Propagande sur la Démocratie — à cette époque, il avait été totalement
hostile à ces idées qu'il a adoptées depuis. Mais quand il prétend
décrire la *contradiction fondamentale* de l'Occident, contradiction
inhérente à la techno-démocratie, et consistant en un accroissement
de la production et de la consommation en même temps qu'une dimi-
nution de la qualité de la vie, contradiction entre l'expansion et la
dégradation des conditions de l'existence, il se situe à un niveau de
banalité et de superficialité que l'Occident ne mérite pas! La contradiction de l'Occident est beaucoup plus fondamentale, beaucoup plus
ancienne (puisque c'est sur elle que tout son développement est
fondé), en même temps que constitutive de la grandeur et du progrès
de l'Occident : c'est cette contradiction même qui *est* l'Occident!

CHAPITRE II

La fin de la Gauche
et les vrais pauvres

Et la Gauche a repris la voie de l'Occident. Celui-ci, dans sa réalité profonde, aboutissait à une impasse. Le Christianisme qui l'avait porté pendant tant de siècles débouchait sur la Tyrannie, sur la négation de ses propres valeurs, sur l'oppression ecclésiastique, sur l'exploitation des pauvres. L'Histoire se figeait. Il y eut alors le bref intermède de la démocratie libérale, bourgeoise et capitaliste. Mais si l'on affirmait encore les valeurs que l'Occident avait inventées, si l'on revenait à l'Individu, à la Raison, à la Liberté, ce n'était plus que proclamation de valeurs abstraites, de signes algébriques et d'hypocrites justifications d'une réalité combien différente. Alors, dans ce marais, ou bien dans cette impasse, la gauche progressivement s'élaborait, se formulait. La Gauche anarchiste reprenait totalement, radicalement au sérieux l'individu et la liberté. Sans aucune concession. Une partie tragique de quitte ou double. La gauche socialiste plus prudente et plus stratégique, si elle parlait dictature du prolétariat, communisme, socialisme, c'était quand même, chez Marx en tout cas, avec la visée dernière de l'individu et de la liberté. Le but final de toute la grande aventure décrite par Marx ce n'est pas la fusion dans la termitière, tout au contraire, c'est l'épanouissement de l'homme dans son entité individuelle spécifique (mais qui n'a rien à voir avec l'individualisme du

xixᵉ siècle), et la réalité vécue de la liberté. Toute la gauche
unie proclamait le triomphe de la Raison, exigeait la clarté
de l'intelligence sortant des limbes de la religion. La Gauche
reposait sur le présupposé de la communication et de la
possibilité du langage. La Gauche reprenait le cours de
l'Histoire au point même où le christianisme la laissait
tomber, et s'engageait dans le même chemin pour exalter
les mêmes grandeurs. Et en même temps que l'invention
de l'Histoire, la gauche avait assumé l'invention de la révolution. Ainsi tout l'Occident se trouvait entre ses mains.
Elle était le porteur de la somme de ces valeurs, il semblait
qu'une ère nouvelle s'ouvrait devant nous. La Gauche en
1930 portait tous nos espoirs. Qu'avions-nous à faire de la
droite? Qui pourtant se réclamait si fort de la tradition
occidentale, mais qui n'en était qu'une falsification. Rien,
rien de ce qui fut la vérité de l'Occident ne se retrouvait
ni chez Thiers ni chez Maurras. Nous voyions trop clairement ce qu'elle était, du Capitalisme au Fascisme. L'inversion même de l'invention occidentale. Sa face d'ombre et
de cruauté. Sa misère et son mensonge. Certes, dans sa grandeur et sa générosité, dans son regard orienté vers l'avenir,
dans sa volonté de dépassement, la Gauche seule portait
l'Occident tel qu'il s'était forgé depuis plus de deux mille
ans. Assumer toutes ses valeurs en ouvrant de nouvelles
voies. Car la Gauche ajoutait à son tour à la prodigieuse
histoire : l'Occident, nous l'avons vu, avait dans sa structure même inventé la mauvaise conscience, le retournement
sur soi pour se mettre en question. La Gauche l'avait si
profondément vécu, qu'elle avait orienté sa principale
recherche vers ce qui était l'accusation profonde de l'Occident : les pauvres. Elle avait alors proclamé le droit des
pauvres, elle décidait leur défense, elle les rendait porteurs
d'avenir. Elle ouvrait la voie à la justice. Sans doute bien
souvent, déjà, l'Occident avait, de façon différente en
Grèce, à Rome, et dans le christianisme, construit la jus-

tice par adjonctions successives. Mais il manquait la justice sociale. Jamais celle-ci, plutôt pressentie que vécue, plutôt annoncée que réalisée, n'avait trouvé de contenu véritable, sa dimension entière, son ampleur visant la totalité de la société. La Gauche, sans rien perdre du reste, prenait fermement ce germe et décidait de le faire épanouir. Elle s'inscrivait exactement ainsi dans ce qui avait toujours été le processus de développement de l'Occident. Chaque vague reprenait le mouvement et l'acquis de la précédente, en procédant à un épanouissement des virtualités antérieures. La Gauche venait ici porter à leur culmination des intuitions de la Grèce et des promesses du christianisme. Mais elle faisait alors aussi bien plus. En prenant la défense des pauvres, elle assumait aussi la réparation du mal de l'Occident. Le mouvement triompal de celui-ci, son expansion dans tous les domaines, s'était payé cher : la pauvreté avait augmenté. Prolétariat, sous-prolétariat, peuples colonisés, expropriés, déracinés, urbanisés, affamés, esclavagés, l'Occident avait construit sur du sang, des ruines et des souffrances. Il était temps qu'il essaie, à partir même de sa mauvaise conscience et de ses propres valeurs, de réparer, de guérir, de se faire pardonner. La gauche entreprenait cette œuvre primordiale, et de ce fait venait porter l'Occident à un sommet encore jamais atteint par aucune autre civilisation. Mais qui donc étaient les pauvres? C'est sur cette question simple, en apparence, que tout allait sombrer.

I

Les vrais pauvres

Nous avons dit que l'Occident, par son existence même, par sa seule présence, avait provoqué la division de la

société d'abord, puis du monde en Riches et Pauvres. Cette
réalité qui a toujours existé partout n'était pas une opposition, une rupture, un conflit entre les hommes avant que
l'Occident n'ait paru. Mais voici que plus nous évoluons,
plus cette conception du pauvre a changé. Il fut un temps
où le riche était celui qui avait de l'or et pouvait le dépen-
ser — acheter ce qui lui plaisait — et vivait dans le luxe.
Je dis bien de l'or, car la terre n'était alors pas essentiellement considérée en tant que richesse et possibilité de
rapport économique. Elle était d'abord la base du pouvoir
politique. Le riche était celui qui commerçait principalement.
L'idée même de richesse étant essentiellement urbaine. Avoir
une terre c'était avoir un commandement, un pouvoir sur
les hommes, la possibilité d'exercer la justice sur les habitants de ce domaine, de lever une armée parmi eux pour
combattre les voisins ou se défendre contre les incursions.
On pouvait être en même temps fort pauvre. La culture
de la terre, les redevances existaient, bien sûr, mais pas du
tout au premier plan, contrairement à la mythologie
marxiste. Le Seigneur n'était pas forcément riche, le riche
ne devenait pas forcément Seigneur. Ce sont deux dimen-
sions du pouvoir obéissant à des échelles de valeur différentes et on ne peut les assimiler, de même que l'on ne peut
assimiler ni même confondre le pouvoir économique et le
pouvoir politique. Il y avait déjà eu cette opposition entre
riches et pauvres avant l'ère bourgeoise occidentale, mais
toujours lorsqu'elle paraît, c'est essentiellement en Europe,
lorsque précisément les caractéristiques du monde occidental s'éveillent et paraissent majeures : nous avons dit
en effet qu'à certaines époques de l'Occident (par exemple
entre le ve et le xiie siècle) elles s'effacent, et l'on revient à
un sommeil où revivent les rêves traditionnels, archétypiques
de l'humanité. Or, nous assistons depuis bientôt trois siècles
à une première orientation : tout est transformé en valeur
économique, en richesse et source de richesse — la terre,

mais aussi bien toute activité, s'évaluent économiquement et c'est la valeur économique qui devient le primat et la mesure de tout. Et sans doute la politique aussi — sans toutefois céder complètement. Il continue à exister une puissance politique relativement indépendante de l'économique, surtout dans la mesure où le monde est devenu fort étroit, où tous les peuples sont en relation les uns avec les autres, et où la puissance politique peut résulter non pas de l'importance intrinsèque d'un Etat et de sa nation, ni de sa richesse, mais bien de sa situation géographique par exemple, qui lui donne, pour les autres puissances, une valeur considérable (Panama minuscule est très important politiquement, Cuba aussi...) au lieu des ressources possibles exploitables par les « grands » et qui se trouvent dans son sol, etc. — Une nation n'est pas puissante de façon intrinsèque mais aussi bien par le rapport qu'elle a avec tel ou tel autre puissant — or, celui-ci est toujours aujourd'hui *d'abord* un riche. La richesse économique (et non plus en or) est bien pour certains la base de la puissance politique et l'on peut établir la réciproque, mais pour la majorité, c'est le fait d'être allié avec telle de ces puissances qui est le fondement de son existence, et finalement de sa richesse, même si l'on n'a rien pour être riche : la richesse est cette alliance même.

Mais il y a un troisième aspect, tout nouveau, de la richesse, également. On sait que, dans une société technique, maintenant on considère moins le fait d'être propriétaire de capitaux, et de pouvoir capitaliser, que le fait des capacités individuelles, des diplômes, de l'aptitude à remplir une fonction très recherchée : c'est cette capacité intellectuelle (mais aussi éventuellement purement technique) qui fait aujourd'hui le riche. Enfin cela conduit à un quatrième aspect de la richesse : celui qui a un accès aux sources d'informations et qui peut éventuellement utiliser les media d'information pour diffuser lui-même, pour répandre des nouvelles, pour modifier l'opinion, pour, à un autre

point de vue, se faire connaître. Il y a ici un étrange retour
à l'idée de « Renommée » si importante dans l'Antiquité.
Mais peut-être bien, non seulement dans le monde occidental, la Renommée, la Célébrité, c'est-à-dire l'appréciation
bonne que les gens portent sur vous (à condition évidemment d'être assez connu par « les gens »...) était-elle aussi
importante en Chine, aux Indes, en Afrique... Je ne sais,
mais je ne le crois pas. En tout cas déjà chez les Juifs,
l'idée de « renommée », avoir un nom à la face des hommes,
était essentiel, que le nom soit connu par le plus de gens
possible, que l'évocation de ce nom éveille des images posi-
tives, que le souvenir de telle personne provoque la
louange... c'était très important. Assurément en Egypte
nous avons le même souci de Pharaon d'être bien connu et
apprécié, mais le changement entre l'Egypte et Israël, c'est
que dans le premier cas c'est l'affaire et le souci du Souverain, dans le second, la question de la renommée est
posée pour quiconque — or, nous allons retrouver exactement cette même orientation, ce souci, dans la Grèce démocratique, dans la Rome républicaine puis impériale. Et
l'idée de renommée (qui sera, à partir du XVIe siècle, ramenée, comme en Egypte, à l'importance de la *gloire* du souverain) ne cessera de gagner; le jugement des autres sur
soi est fondamental. On mettra fréquemment en balance
la renommée avec la richesse : « Bonne renommée vaut
mieux que ceinture dorée. » La bourgeoisie aura un souci
tout particulier de sa renommée : il ne faut pas que l'on
puisse dire du mal de vous. Car l'activité économique est
strictement liée à la confiance, on ne peut pas réussir économiquement si on n'a pas une réputation irréprochable
— c'est pourquoi le failli ne peut que se suicider puisque son
activité économique ne peut plus être dans ces conditions.
Mais il ne suffit pas dès lors de la réputation dans un petit
cercle d'amis, c'est la réputation auprès de tous les clients,
fournisseurs, concurrents...

La réputation est d'autant plus importante que le cercle de ceux que vous connaissez est grand. Nous assistons, avec le xxᵉ siècle, à une mutation très remarquable dans ce domaine. Jusqu'à ce moment on peut dire que la réputation avait donc essentiellement pour objet la valeur « morale ». C'est en fonction de jugements sur la conduite morale que cela jouait. Et forcément dans un cercle relativement réduit. Mais inversement, pour acquérir une réputation qui devenait une « renommée », il fallait faire une action d'éclat, assurer une carrière d'exception, devenir un héros, et à ce moment l'appréciation n'avait plus aucun caractère moral : au contraire, cela était totalement effacé, le tout portait sur l'acte lui-même qui assurait la « gloire ». Celle-ci semblait se situer hors des normes applicables au commun. Plus la renommée atteignait un grand nombre d'auditeurs, plus elle excédait les possibilités d'une appréciation morale, la renommée faisait sortir le sujet de l'échelle courante des valeurs. Mais il va de soi que cela ne pouvait se produire que pour un très petit nombre d'acteurs. La mutation qui se produit est due à l'extension des media. Un nombre considérable d'auditeurs, de lecteurs, de spectateurs peut dorénavant être alerté sur un nombre considérable de faits et de personnalités. Et comme il faut nourrir les Media, il faut renouveler les héros, les stars [1]. Bien entendu certains vont subsister longtemps, mais rarement très longtemps. La mémoire de Kennedy s'efface en quelques mois. Après avoir subjugué l'opinion, Kennedy, Khrouchtchev ou Jean XXIII, très vite, sont effacés, et l'on découvre de plus en plus à quel point on avait eu tort de leur prêter tant de mérite, de croire qu'ils changeraient le monde. Il en est de même pour les acteurs, chanteurs, savants qui brusquement surgissent dans l'éclatante lumière

---

1. Me font sourire les éminents sociologues de la communication, qui décident gravement en 1974 que « le star system a disparu » !

des spots, et comme Lévy-Strauss, replongent dans le néant académique. Or, cette renommée universalisée portant sur un très grand nombre de sujets a les mêmes caractères que la renommée traditionnelle et que la gloire. D'une part elle ne concerne plus en rien la Valeur, le comportement éthique. Quelqu'un, fort discuté dans son entourage immédiat qui le connaît, peut avoir grâce aux media une réputation immense, inverse. Gisèle Halimi pourrait payer sa femme de ménage à la moitié du salaire obligatoire, cela n'a aucune importance : personne ne le sait, par contre tout le monde sait qu'elle est la Jeanne d'Arc défenseur des femmes, des pauvres et des opprimés. Une vraie sainte. L'appréciation morale ne reparaît qu'à titre d'argument lorsque par la voie des media, un groupe s'en empare pour ruiner la gloire de l'adversaire. L'affaire de Watergate en est l'exemple choisi. Nixon fait ce que n'importe quel chef d'Etat moderne fait, tout le monde le sait. Mais la conscience du monde va brusquement se réveiller lorsque, à la suite évidemment de calculs tactiques subtils, le groupe des adversaires dénonce au nom d'une moralité à laquelle personne ne croit plus les agissements épouvantables et exceptionnels de l'adversaire. L'opinion étant saisie, cela devient un problème réel. Mais la renommée ne se fait ni ne se défait sur ce thème éthique : lorsqu'il est le grand élément mis en avant pour valoriser une personne, cela ne peut avoir qu'une signification, c'est que cela sert à la bonne conscience, à l'autojustification du groupe qui lance dans l'opinion cette valeur morale : l'abbé Pierre a été célèbre pour sa vertu parce que cette réputation permettait à la société française de manifester son attachement aux vraies valeurs. Même chose avec Sartre, bien entendu, et le Tribunal Russell par exemple. L'éthique ne remplit au travers des media qu'une rigoureuse fonction d'utilité publique.

Mais l'autre modification majeure, c'est qu'à partir de là on peut dire que la renommée est effectivement ce que l'on avait déjà instinctivement évalué : elle est une richesse. On peut être soi-même pauvre, si on a *cette* célébrité portée par les media, on fait nécessairement partie des riches, on peut être un pauvre personnellement, mais si l'opinion est en votre faveur, si l'œil de la télé est pour vous, si la voix de la radio est votre voix, vous êtes plus riche (je dis bien riche et pas seulement puissant!) que si vous aviez un portefeuille de titres. Les deux choses vont d'ailleurs souvent ensemble, et grâce aux media, l'argent même peut affluer. Mais déjà la simple connaissance, la re-connaissance par les autres, et non plus par quelques voisins mais par les millions de téléspectateurs devient une richesse : le malade exceptionnel qui provoque l'intérêt de tout un peuple parce que l'on aura parlé de lui à la radio, n'est plus le même malade. Il peut mourir tranquille, il est plus célèbre que ne le fut jamais Louis XIV (assurément pas pour autant de temps! mais l'important en ce siècle est l'instant!). Et l'homme qui a subi d'immenses malheurs dans les camps de concentration puis en perdant la totalité de sa famille dans un accident, peut survivre et se constituer une nouvelle personnalité à partir du moment où, n'ayant que ses malheurs à raconter, il les a racontés de telle façon qu'il est devenu célèbre. Les centaines de milliers de lecteurs, les millions de téléspectateurs qui ont pleuré à la connaissance de ses malheurs lui font un cortège humain qui remplace bien l'ancienne consolation de la croyance en Dieu. Il est devenu riche par l'adhésion de l'opinion au travers des moyens de communication de masse.

Cette analyse des facteurs de richesse et de leur évolution était indispensable pour comprendre, en contrepartie, ce qu'est la pauvreté dans notre monde. Celle à laquelle on pense toujours est évidemment la pauvreté économique. Celui qui a des « salaires raccourcis », qui est exploité, qui n'a que le minimum vital, qui ne peut pas consommer les biens de notre société, et celui qui ne participe en rien à

« la propriété des moyens de production ». Voilà le pauvre.
Et sur le plan collectif, les groupes qui occupent les emplois
méprisés (les immigrés dans le monde occidental), les peuples du tiers monde qui sont exploités et dominés, ceux qui
meurent de faim, voilà les pauvres. C'est la première idée,
la plus évidente, que nous nous faisons de la pauvreté.
Mais on ne peut éviter de considérer aussi la pauvreté de
puissance et de moyens, celle que j'appellerai la pauvreté
politique. Ceux qui sont privés de moyens d'intervention
auprès des pouvoirs, d'influences, qui sont le *vulgum pecus*
en face de l'administration, qui subissent les lois et qui ne
participent à aucune décision. Ceux qui n'ont d'autre possibilité que le ridicule bulletin de vote, de temps en temps,
et qui d'ailleurs en sont en fait dépouillés parce qu'ils doivent suivre un parti politique, s'ils veulent que leur « voix »
compte, sans quoi s'ils ne s'alignent pas dans un parti, leur
« voix » est perdue, ne sert à rien. Et d'autant moins qu'elle
exprime une opinion singulière, plus remarquable, plus
réfléchie. Le pauvre politique n'a pas d'autre possibilité
que de se fondre totalement dans l'anonymat d'une masse
s'il veut que sa voix ait une portée pour changer quelque
chose. Dès lors il n'a que ce choix : ou bien sa voix reste
bien la sienne exprimant sa réelle souffrance, son expérience propre, sa passion personnelle, et alors elle ne servira
à rien, ne sera pas entendue. Elle sera perdue. Ou bien il
la remet à une organisation de masse qui est précisément
faite de voix nombreuses abandonnées, devenues anonymes,
alors la masse joue pour changer quelque chose, mais la
voix de celui qui l'a donnée pour former cette masse est
alors en tant que telle perdue tout autant. La pauvreté
politique peut d'ailleurs se situer exactement aux confins
entre la pauvreté économique et la pauvreté de renommée :
ainsi nous assistons depuis une vingtaine d'années à la
revendication essentielle du prolétariat de pouvoir participer à la « décision ». On sait que le problème n'est plus

seulement aujourd'hui d'augmenter des salaires, mais que le salarié puisse d'une façon ou d'une autre coopérer aux décisions de direction, de gestion qui se traduisent par des ordres et des commandements. Lorsque l'on est seulement celui qui exécute et subit la décision, on est dépouillé d'une part de sa personnalité, même si le salaire permet de vivre largement. Cela aussi est la pauvreté. Et sur le plan collectif, c'est entre les nations la même conception de la pauvreté. Les nations pauvres sont celles qui n'ont pas les moyens de participer aux décisions qui les concernent. Tout le monde a été saisi de cet aspect lors de la guerre et de la paix imposées à Israël et à l'Egypte par l'entente, par-dessus leur tête, entre l'U.R.S.S. et les Etats-Unis. En 1973 on n'a en fait tenu aucun compte des uns ni des autres. Israël ne pouvait pas poursuivre son offensive après la première défaite parce que les Etats-Unis ont imposé leur veto, les Arabes malgré leur volonté et leur conviction qu'ils pourraient encore redresser la situation n'ont pu le faire parce que l'U.R.S.S. a aussi imposé son veto. Et entre les Etats-Unis et l'U.R.S.S. s'est jouée une partie de poker dont les combattants étaient les pions. A ce moment Israël autant que l'Egypte étaient des pauvres, c'est à ce moment l'absence de moyens techniques permettant l'autonomie de décisions politiques qui fait la pauvreté. Mais cela peut être compensé par les alliances avec un puissant. On ne peut pas dire que ceux qui sont réellement appuyés (mais aussi, bien évidemment, et dans la même mesure soumis!) par un des trois grands soient réellement pauvres. Ils sont dans l'allégeance d'un des trois seigneurs de la guerre, mais cela leur donne une puissance politique (et militaire!) réelle à la condition de perdre leur autonomie : c'est la reproduction sur le plan international de ce que nous décrivions au paragraphe précédent pour les électeurs et leur « voix ».

Enfin, il est un troisième aspect de la pauvreté, celui de

la renommée, de la réputation : le pauvre maintenant, c'est celui qui est *oublié,* que personne ne connaît, ne reconnaît. Et nous disions que le problème de la participation à la décision est déjà voisin. Celui qui ne participe pas n'est pas *reconnu* par les autres, ni dans sa capacité, ni dans sa dignité, ni dans son être. Il est un objet, un instrument. L'absence de reconnaissance introduit à l'absence de réputation. La diffusion mondiale investit d'une richesse, l'oubli plonge dans le néant, les combattants oubliés sont deux fois morts. *Le Soldat oublié* de H. Sajer en est la tragique histoire. Les régimes autoritaires savent parfaitement ce qu'ils font en réécrivant l'histoire de façon à ce que disparaisse la mémoire de tel adversaire, de tel héros, qu'il soit Trotsky ou Confucius. Tant que la mémoire en survit, il reste, mort, riche et potentiellement dangereux. Celui qui n'a pas, aujourd'hui, l'opinion mondiale avec lui est un pauvre terriblement dépourvu. Car tout, grâce aux moyens de communication, est devenu affaire mondiale. Tout concerne chacun, et finalement, chacun est riche de l'appui de tous. Mais dans ce concert d'échanges extraordinaires, où l'on voit les résistants chiliens appuyés par les meetings grecs, et les résistants grecs appuyés par des meetings parisiens, etc., celui dont on ne parle pas est vraiment le plus abandonné. Ceci n'existait évidemment pas lorsque les affaires de chacun, même politiques, ne concernaient qu'un groupe minuscule, l'entourage immédiat. Mais maintenant, comment éviter le profond sentiment de frustration quand on voit l'opinion, la presse, la télévision ameuter, gronder, accuser, encourager lors de tel drame international, alors que l'on vit soi-même une aventure identique, mais qui n'intéresse personne... la réputation, c'est-à-dire aujourd'hui, l'appui ou la condamnation de l'opinion publique, mais d'une opinion publique fabriquée par les media est décisive dans cette affaire de pauvreté. Bien plus même qu'on ne peut l'imaginer. C'est probablement le facteur actuellement le plus important comme nous essaierons de le montrer. Ainsi donc nous avons trois thèmes de la pauvreté et ils se combinent, il y a ceux qui meurent de faim et dont on ne parle pas, ou ceux qui sont opprimés politiquement et dont on ne parle pas, et ceux qui meurent de faim et qui sont opprimés politiquement, etc.

Mais encore faut-il procéder à une nouvelle analyse. Car nous avons aussi en ces domaines une autre distinction à faire : entre les individus qui composent un peuple, et le peuple lui-même dans sa globalité, en tant que nation, en tant que corps politique. Il peut y avoir une richesse ou une pauvreté « politiques » (de l'ensemble) et/ou individuelle. Nous trouvons ici encore une division qui procède de l'Occident. Non point que l'Occident en soit la cause immédiate (ce n'est pas lui qui a séparé ces deux facteurs) mais certainement l'occasion. Exactement comme pour la distinction précédente, c'est l'intention, le développement et l'usage des media, tels que l'Occident les a déterminés, qui établissent par exemple la richesse et la pauvreté d'opinion. Ici, c'est d'une part l'invention occidentale du concept abstrait de Nation, de grandeur nationale — et d'autre part l'invention occidentale de la richesse abstraite (du point de vue financier et économique) qui fait qu'un corps social peut être riche, alors que ses membres sont pauvres, et réciproquement l'idée tout à fait théorique et, on s'en rend compte de plus en plus, aberrante, du P.N.B. Traditionnellement, un groupe avait exactement la richesse (économique) correspondant à l'addition de la richesse de ses membres. Il avait la puissance politique correspondant à l'addition de l'efficacité militaire de chacun de ses membres. Cela n'est plus vrai. Il peut y avoir maintenant une nation très riche, dont les membres sont très pauvres. L'exemple typique en est donné par les peuples arabes, ou inversement des nations très pauvres (sur le plan politique par exemple) dont les membres sont individuellement riches et que l'on ne plaint pas. Ainsi les pays scandinaves, qui sont comme puissance politique et même relativement économique pratiquement inexistants! Ce à quoi l'on ne pense jamais! Or, il faut combiner cette division à deux termes avec la précédente, à trois, pour discerner qui, dans notre monde, a une puissance, ou, inversement, qui est pauvre! Ainsi quand on clame avec des sanglots dans la voix que les Arabes sont les vrais pauvres de notre temps. Il est bien vrai que les *individus* arabes, en Egypte, en Arabie, au Yémen sont atrocement pauvres, qu'ils sont sans cesse sous-nourris, qu'ils n'évoluent pas... mais d'abord ils ne sont pas pauvres du fait même de l'opinion mondiale qui les proclame parmi les pauvres : ils sont un thème privilégié pour l'opinion et les media. Tout le monde parle des peuples arabes et s'intéresse à eux. Ensuite, ils sont puissants et riches en tant que Nation! Nous sommes ici en présence d'un groupe qui peut parler aussi haut et fort que les trois grands, à cause du pétrole. Les nations arabes sont parmi les riches et non parmi les pauvres. Ce qui montre la stupidité du calcul du P.N.B., c'est que si on avait l'audace de faire ce calcul pour l'Arabie saoudite en fonction des rentrées d'argent provenant du pétrole, on obtiendrait une moyenne bien supérieure à celle des Américains! Nous sommes ici en présence d'un effroyable décalage entre la réalité quotidienne des individus et la grandeur internationale de la Nation. Mais je sais que l'on dira que cela tient à la structure capitaliste de ce pays. Ce n'est pas aussi simple. Car c'est un capitalisme féodal d'une part — mais d'autre part et surtout c'est un défaut d'adaptation psychique globale à l'exercice politique dans notre monde. Certains dirigeants arabes sont non seulement des féodaux n'ayant aucune vue du bien de leur peuple mais encore des hommes politiques bornés incapables de gérer correctement une nation, une richesse ou une guerre. La pauvreté des peuples arabes tient avant tout à la nullité de leurs dirigeants. Il faut pour s'en rendre compte dire quelques mots de leur politique dans l'affaire du pétrole.

Un des aspects particulièrement intéressants de ces derniers mois [1], c'est, au milieu du déluge d'articles concernant la « crise du pétrole », le silence pratiquement total au sujet des appréciations que l'on peut porter sur les gouvernements arabes, et leur maturité politique. Je dis bien les *gouvernements,* et non pas les *peuples* arabes qui n'en peuvent mais, et n'ont jamais eu, pas plus en Algérie qu'en Arabie saoudite, voix au chapitre. Bien entendu quelques journalistes se sont enthousiasmés sur le fait que les Arabes avaient enfin un instrument de puissance politique, qu'ils faisaient plier le genou au géant occidental, et qu'ils étaient enfin capables de mener une politique indépendante. Je voudrais bien préciser que dans les lignes qui suivent je ne cherche en rien à défendre l'Occident (d'autant moins que je suis convaincu que la crise du pétrole n'est pas aussi grave que cela!) et encore moins le progrès technique! Certes je ne déplore pas, bien au contraire, que l'Occident reçoive un bon coup d'arrêt, et je me réjouis de ce que, peut-être, la politique de puissance énergétique technicienne soit partiellement freinée. Si jamais nous manquions d'automobiles, je serais profondément satisfait. Ce n'est pas de cela qu'il s'agit ici. Mais de l'incomparable superficialité des gouvernements arabes dans cette affaire. Ils avaient (depuis longtemps!) un instrument d'action et de chantage sur l'Occident. Et le drame, c'est qui'ls l'ont utilisé de la façon la plus stupide que l'on puisse imaginer. Il n'y a pas eu la moindre intelligence politique de leur part dans cette affaire. Ils ont eu la réaction d'un gosse qui ayant une grenade en main la lance simplement parce qu'il est exaspéré, énervé, fatigué,

1. Ecrit en janvier 1974.

et sans aucun calcul des suites. Je n'insisterai pas sur les
variations, assez spectaculaires des décisions successives.
Mais il me semble que, de cet embargo et de cette montée
des prix du pétrole déclenchés par les gouvernements arabes,
on peut tirer trois conclusions.

Tout d'abord, ils ont manifestement agi au hasard et
sans calculer le moins du monde les conséquences : ils n'ont
vu qu'une chose, sanctionner les peuples qui soutenaient
Israël, c'est-à-dire, vraiment, le simplisme politique le plus
effarant. Ils agissent en partie pour ruiner l'Occident? Mais
en même temps avec l'or qu'ils accumulent, ils ne pensent
qu'à une chose : acheter à ce même Occident les usines toutes
montées, les équipements nécessaires pour s'industrialiser.
Autrement dit, leur richesse même, ou bien ne servira à
rien, ou bien renforcera l'activité industrielle de l'Europe
et de l'Amérique, qui, momentanément, devra bien marcher
au pétrole! — D'autre part, ils atteignent gravement
l'U.R.S.S., leur alliée, leur soutien, si bien que celle-ci, pour
conserver son propre potentiel, cessera de livrer du pétrole
à ses satellites : ceux qui vont être réellement lésés en
Europe, c'est la Bulgarie, la Hongrie, la Tchécoslovaquie,
la Pologne. Par ailleurs tous les économistes sont maintenant d'accord pour considérer que au-delà de la crise du
pétrole, ne peut se produire qu'un renforcement économique
et technique des super-grands. C'est, dans les cinq ans
qui viennent, l'U.R.S.S. et les Etats-Unis qui profiteront de
ce difficile passage! Visée manifestement de haute politique!
Inversement, ceux qui souffrent le plus des décisions arabes,
ce sont les pays africains et l'Inde. Ce n'est ni l'Allemagne
ni l'Angleterre! La situation est véritablement tragique pour
l'Inde. Alors, que l'on ne vienne pas parler de la solidarité
des peuples du tiers monde et de l'exploitation de ceux-ci
par les affreux impérialistes : ici les Arabes se conduisent
comme n'importe quel impérialiste. Il est vrai que les
Indous sont de méprisables bouddhistes que les musulmans

arabes peuvent étrangler en toute tranquillité d'âme. Tout cela montre que nous sommes en présence de décisions politiques irresponsables et mal calculées.

En second lieu, les gouvernements arabes ont démontré qu'ils étaient incapables de maîtriser leur propre puissance et de la régulariser. Ils ont cédé à l'ivresse du spectacle : on va voir ce que l'on va voir! Mais cela doit nous entraîner alors à deux conséquences : s'ils avaient d'autres instruments de puissance, on peut être certain qu'ils en useraient avec la même imprévoyance et la même spontanéité, cela doit tout particulièrement faire réfléchir au sujet de la bombe atomique... Donnez-la au colonel Khadafi, le monde sera détruit dans les six mois qui suivent. Car il n'y a aucun équilibre de la terreur qui subsistera en face du coup de tête d'un de ces potentats et de son plaisir à faire exploser le gros pétard! Mais la seconde réflexion ici concerne Israël : les Arabes se sont révélés incapables de dominer leur victoire (pétrolière!) : ils ont voulu pousser jusqu'au bout et sans pitié leur avantage. Comment imaginerait-on qu'ils agiraient autrement au cas d'une victoire sur Israël! L'affaire du pétrole démontre de façon décisive que lorsque les Arabes gagnent, ils vont jusqu'au bout. Pour Israël, si jamais ils l'emportaient, cela voudrait dire l'extermination totale du peuple d'Israël. Ils n'auraient pas plus de modération (et encore bien moins!) à l'issue d'une guerre militaire victorieuse que dans cette guerre économique. La crise du pétrole a fait éclater le manque de maturité, de modération, de maîtrise des Arabes. Et je suis bien certain que, si lors de la dernière guerre, les Arabes avaient été sur le point de gagner, ils n'auraient pas obéi à l'injonction de l'O.N.U. ordonnant un cessez-le-feu : les Israéliens gagnants se sont arrêtés. Les Arabes ont montré leur absence de maîtrise dans la victoire : ils veulent l'absolu — par exemple, ici concentrer une puissance financière incalculable, ce qui, comme on l'a démontré, au point de vue économique, à la limite ne signifie plus rien du tout. Mais ça ne fait rien, on se croit riche parce que des milliards de dollars sont comptabilisés...

Enfin la troisième conséquence que l'on peut tirer est la totale imprévoyance politique de ces gouvernements, car enfin le monde technicien commence déjà à tirer les conclusions de l'attitude arabe : on a commis la sottise de considérer le pétrole comme la source énergétique pratiquement exclusive — la moins chère, etc. On a mis tous les œufs dans le même panier. Aussitôt les techniciens du monde occidental se sont mis au travail. Le grand problème aujourd'hui, c'est : « Comment remplacer, à tous les niveaux (et pas seulement pour l'énergie), le pétrole? » N'ayons aucune inquiétude, étant donné la capacité d'innovation du monde occidental, avant cinq ans on aura trouvé, et dans de multiples directions — aussi bien pour remplacer la source d'énergie, que pour remplacer les sous-produits industriels du pétrole. Cela impliquera une reconversion économique? bien sûr! Mais ce n'est pas la première (et pas la dernière!) : au lendemain de la guerre en 1945 les Etats-Unis ont réussi une reconversion économique aussi difficile. Les Arabes ont donné une bonne leçon. Les Occidentaux l'ont comprise : il ne faut pas compter sur une seule source d'énergie. Il ne faut pas non plus compter sur les Arabes. Eh bien, on va changer. Et dans cinq ans, comme le disait un ouvrier dans le métro : « Les Arabes pourront se gargariser avec leur pétrole. » Les Arabes ont fait preuve de leur immaturité politique, en détruisant leur situation d'avenir au profit d'un succès spectaculaire immédiat. Ils n'avaient pas assez réfléchi au principe de Machiavel selon lequel il ne faut pas utiliser la totalité de sa puissance contre un ennemi lorsqu'on n'est pas sûr de pouvoir éliminer cet ennemi définitivement. Les Arabes ont non seulement perdu la guerre contre Israël mais ils ont aussi déjà perdu leur guerre du pétrole. On ne peut donc pas réellement dire que les

Arabes sont les pauvres des pauvres, leur puissance est ter-
rifiante, mais absurde!

Mais lorsque j'écris cela, je ne prends pas position *contre*
les pays arabes : je souligne seulement leur manque de
maturité, de maîtrise, de rigueur. Je suis désolé de leurs
erreurs. Et j'irai même plus loin. Je crois que l'on peut dire
qu'il n'y a pas vraiment de crise du pétrole! D'une part
l'accroissement des prix qui nous paraît fabuleux n'est
qu'un rattrapage! En effet le prix du pétrole s'est dégradé
depuis vingt ans, par rapport au reste du coût de la vie.
C'était la politique de l'énergie à bon marché. Mais le bon
marché se faisait sur le dos (la spoliation!) des pays producteurs. La brusque montée des prix ramène en réalité le
pétrole à la parité avec les autres produits telle qu'elle
existait vers 1958. Alors? Il n'y a pas vraiment de drame.
Si en 1958, ça fonctionnait avec du pétrole à ce prix,
pourquoi serait-ce impossible en 1974? Sinon parce que
nous avons construit un système de production reposant sur
cette exploitation. Reconnaître les fautes de l'Occident me
paraît faire partie de la grandeur occidentale. Mais il faut
se repentir de ce qui est réellement une faute. De même en
cette histoire, il faut peut-être souligner que tout le bruit,
le drame, la propagande sont orchestrés parce que les « fau-
tifs » sont des Arabes! Il est évident que si des décisions
pareilles avaient été prises par les Etats-Unis par exemple,
on aurait réagi beaucoup plus calmement, on n'aurait pas
exalté les difficultés chez les capitalistes (la Gauche, bien
sûr l'aurait fait!). Le battage incroyable fait depuis un an
autour de l'O.P.E.P. et de ses décisions tient uniquement à
la volonté d'accusation du capitalisme occidental. Mais
l'accusation inverse ne me paraît pas plus vraie [1].

1. J'ai écrit ces dix dernières pages en janvier 1974, j'ai préféré
les laisser ici sans aucun changement.

Dans ce genre d'opposition entre richesse individuelle et richesse de la Nation, il faut aussi faire une place importante aux peuples bâillonnés qui vivent sous la Terreur. Celle-ci est devenue dans un très grand nombre de cas le moyen le plus sûr de détenir la puissance collective. Or, il faut bien rappeler, ce que nous avons dit d'autres fois avec tant d'autres, que d'année en année les régimes « libéraux » ou « démocratiques », certes point du tout satisfaisants mais assurant, sur le plan politique, une relative concordance entre la puissance des individus et celle de la Nation, s'effacent, laissant la place aux grandioses et menaçantes nations modernes. La carte des démocraties se rétrécit sans cesse. Non seulement tous les pays communistes bâtissant leur puissance sur l'esclavage le plus rigoureux de tous les citoyens, inutile de revenir là-dessus, mais les dictatures militaires augmentent chaque année, du Brésil au Portugal, de la Birmanie au Chili... Nous avons dramatiquement ici le rappel que les peuples bâillonnés, contrôlés, soumis à la dictature policière sont des peuples pauvres. Cependant leur nation grandit, s'affirme sur le plan économique et politique. Et l'on est presque aujourd'hui obligé de considérer que les deux éléments sont corrélatifs : il semble qu'en 1970, il ne soit possible pour un Etat de devenir puissant et riche que par le moyen de la mise en esclavage des individus. Ce qui est survenu aux Etats socialistes n'est pas un accident : l'opposition entre l'esclavage des camps de concentration, la croissance de la police et la propagande, et puis d'un autre côté l'industrialisation, l'accession à l'autorité internationale mondiale, la grandeur et la richesse nationales n'est qu'apparente : l'un est directement la condition de l'autre, le premier est inévitable pour obtenir le second. Et cela sera vrai aussi pour les peuples du tiers monde qui se lancent dans la course, c'est vrai pour la Chine (au grand scandale, je sais, des chers admirateurs du bonheur chinois) qui ne présente en rien un

« modèle nouveau de croissance » (?). La grandeur collective se fait par le sang et le malheur individuels. Il n'y a pas d'autre voie. La glorieuse idéologie d'une croissance harmonieuse où l'intérêt général exprimerait seulement la somme des bonheurs particuliers, où les intérêts particuliers viendraient se conjoindre pour provoquer le développement collectif est une bergerie. Assurément on peut déjà dire que tous les peuples dont les Etats sont en voie de croissance sont des peuples malheureux, et qu'ils le sont d'autant plus que la croissance est plus rapide. Hélas, l'Occident avait déjà montré ce chemin, l'Occident avait déjà rendu plus malheureux qu'ils n'étaient auparavant ceux qui ont formé la classe du prolétariat et c'est sur leur incroyable misère que fut construite la prestigieuse « société technicienne ». Et le prestige fut si grand que maintenant chacun n'a plus que l'idée d'imiter cet Occident, en oubliant le prix qui a été payé, en se berçant du rêve qu'une telle puissance pourrait peut-être s'acquérir sans qu'il y ait de prix!

Dans cette discordance fondamentale entre la grandeur collective et la misère privée, il faut encore faire une place à part au Vietnam du Nord. Et je vais choquer tous mes lecteurs. Nous avons tous lu ces milliers d'articles sur l'héroïsme incroyable du peuple du Vietnam qui écrasé sous les bombes a maintenu sa cohésion, a continué sa guerre, et combien de fois n'a-t-on pas comparé le combat entre le Vietnam et les Etats-Unis à celui de David et de Goliath. Combien de fois n'a-t-on pas dit que le minuscule pays tenait en échec la plus grande puissance du temps, et l'on y a vu en même temps la preuve de l'excellence du régime et de l'héroïsme des Vietnamiens du Nord, soulevés par le patriotisme et unanimes dans le combat... or, il me semble qu'il faut considérablement nuancer le tableau. Tout d'abord, rappelons cette vérité rigoureuse qu'il n'y a pas eu d'affrontement entre les Etats-Unis et le Vietnam : les Etats-Unis ont bombardé, ont bloqué les ports, etc. mais on sait bien que militairement seule l'invasion du territoire peut mettre fin à une guerre : aucun bombardement, jamais, n'a fait céder un peuple (sauf la bombe d'Hiroshima, mais il est évident que si on avait anéanti Hanoï par une bombe H, le Vietnam aussi aurait cédé!). Le peuple allemand écrasé depuis deux ans par les bombardements n'était pas du tout prêt à céder en 1944. Il a fallu un an de combat, d'invasion du territoire par des armées dix fois plus puissantes que l'armée allemande pour l'amener à capituler. Il en eût été exactement de même pour le Vietnam du Nord. Envahi, il aurait capitulé. Mais c'est à cause de la Chine que l'invasion n'était pas possible. Le Vietnam n'était pas un tout pauvre petit pays solitaire affrontant le colosse : le colosse ne pouvait pas mettre un pied sur le territoire de ce pays à cause de l'autre colosse prêt à intervenir et qui protégeait le Vietnam. Alors, certes, les Vietnamiens, eux, ont été malheureux, pauvres, misérables, terrorisés, mais la Nation Vietnamienne du fait de son protecteur était aussi puissante que les Etats-Unis. Il faut avancer encore dans cette zone interdite. Les Vietnamiens ont tenu prodigieusement au milieu de tant de souffrances, mais exactement comme les Allemands sous le nazisme. Ils ont tenu parce que le régime vietnamien du Nord est une dictature impitoyable. Il ne faut jamais oublier les massacres et les déportations qui ont accompagné l'établissement du régime du bon papa Ho, et qui étaient dignes de Hitler et de Staline. Depuis, l'endoctrinement le plus rigoureux, l'encadrement le plus strict, le mécanisme policier et la répression les plus impitoyables maintiennent le peuple le plus malheureux dans le silence, l'obéissance et l'héroïsme obligatoires. Il n'y a aucun moyen d'échapper. J'admire les intellectuels français ou américains qui, partageant d'avance les vues du régime, ayant été invités par le gouvernement, ont, en trois semaines, « Tout vu », et ramènent du Vietnam du Nord la vision parfaite, idyllique, la joie du peuple, son élévation culturelle, attestant de l'absence d'un appareil de répression et des camps d'internement. Henri Béraud pouvait aussi jurer que les camps de concentration n'existaient absolument pas en Allemagne Hitlérienne, Joliot-Curie, *idem* en U.R.S.S., et l'excellente Beauvoir *idem* à Cuba (malheureusement quelques mois après c'était Castro lui-même qui déclarait qu'il existait des camps de rééducation par le travail...!). Cela fait partie de l'étonnant aveuglement de l'homme occidental. Ces savants, ces intellectuels quand ils entrent dans leur domaine de partisan engagé sont plus stupides (au sens étymologique : frappés de stupeur) qu'un oiseau fasciné par la couleuvre. Ils ne voient pas. Ils ont abandonné tout esprit critique. Ils sont incapables de con-trôler ce qu'on leur dit. Ils croient. Et plus ce qu'on leur dit est absurde, plus ils croient. *Credo quia absurdum.* Ce lieu théologique insigne est aujourd'hui devenu un lieu politique. Un récent exemple, le plus admirable, nous a été fourni par la série d'articles publiés dans *Le Monde*[1] par François Wahl, un philosophe habile intellectuel, maniant les idées avec virtuosité, et qui rapporte, après un séjour de trois semaines en Chine, un certain nombre d'affirmations assez stupéfiantes. Nous apprenons ainsi qu'en Chine il n'y a pas d'appareil répressif, pas de camp de concentration, pas d'inégalités économiques, que les Chinois disposent « pour la première fois » d'une nourriture satisfaisante, que pour assurer la même réussite économique il aurait fallu trois fois plus de temps à un régime capitaliste, qu'il n'y a pas de classe bureaucratique, etc. Comment un intellectuel sérieux peut-il prononcer de telles affirmations après un voyage guidé, accompagné, de *trois semaines*! en Chine! A-t-il vu le Sin Kiang? Sait-il combien il est difficile de discerner une bureaucratie? Nous sommes au niveau du néant informatif. Et la chose est d'autant plus remarquable

1. *Le Monde,* 15-19 juin 1974.

que lorsqu'il s'agit du débat *théorique* et de la discussion
des *idées,* les articles de F. Wahl sont en effet fort intéressants! Il a très bien discerné en procédant à la critique des
idées et des systèmes idéologiques les failles et les erreurs.
Il a parfaitement élucidé dans ce domaine *qui est le sien*
le problème posé par la Chine. Mais il aurait aussi bien
pu le faire sans quitter son bureau à Paris. Inversement, dans
le domaine des faits et des structures, il n'y a strictement
rien à retenir. Il ignore le fait. Peut-être à ses yeux de philosophe, n'est-ce pas là une dimension digne d'intérêt. Peut-
être pour accéder au niveau théorique a-t-il jugé plus commode d'écarter la discussion dans le domaine factuel, sociologique, économique. Mais je dois dire que pour moi toutes
les subtilités théologico-théoriques dégringolent en château
de carte devant l'existence d'un camp de concentration.
Combien de fois faudra-t-il redire que ces voyages d'information, en trois semaines, ou même trois mois, au profit de
quelques intellectuels sont la source d'une pure et simple
propagande aveugle par la manifestation de ces intellectuels
qui ont « vu, de leurs yeux vu »... sans rien voir de l'essentiel. Revenons alors au Vietnam du Nord : les Vietnamiens
ont en effet été atrocement et doublement misérables, du
fait des bombardements et du fait du régime. Mais la Nation
vietnamienne n'était nullement une pauvre petite nation!
Non seulement, nous l'avons dit, elle était sous la protection
de la Chine, sans laquelle la guerre eût été achevée en un
mois, bien plus, il ne faut pas oublier que le Vietnam essentiellement composé de l'ancien Tonkin est une nation guer-
rière : le Tonkin est le peuple des conquêtes depuis le
XVIIe siècle, qui a détruit l'Empire khmer et qui a envahi
la Cochinchine. Il ne faut pas renverser les termes de la
guerre actuelle entre le Vietnam du Nord et le Sud ou le
Cambodge : nous sommes en présence d'une reprise de ce
qui avait été interrompu par la conquête française. Le
Tonkin est le peuple envahisseur et aujourd'hui comme il y

a cent ans, il veut assurer sa domination sur tout le Sud-Est asiatique. Il a déclenché la guerre contre le Sud et a commencé à occuper le Cambodge (bien avant que Lon Nol ne prétende lui déclarer la guerre!) parce qu'il obéit à sa passion historique de conquête et d'invasion! Les affaires de socialisme, de corruption et d'injustice dans le Sud, sont de simples prétextes. Nous en jugeons d'après nos critères occidentaux, mais cela n'a strictement pas le même sens. En réalité les proclamations selon lesquelles la République démocratique du Vietnam va « libérer » les autres peuples des affreux dictateurs qui les écrasent (ce qui est d'ailleurs vrai, indiscutable en ce qui concerne le Sud, mais pas pire que la dictature Vietcong sur le Nord, est de la pure propagande.

C'est exactement la même selon laquelle les nazis envahissant la France annonçaient avec beaucoup de candeur qu'ils venaient nous libérer de l'épouvantable corruption démocratique, de l'esclavage capitaliste, et qu'ils nous apportaient un régime de justice. Nous sommes ici purement en présence d'une très habile exploitation de sentiments existants dans le monde et d'une manifestation de l'opinion. Je sais bien que ces propos vont exaspérer tous les braves gens de gauche qui, gardant en leur cœur l'image de l'héroïque petite Belgique envahie en 1914, voient dans le Vietnam une pure et sainte Jeanne d'Arc, sans défauts et sans reproches — simplement agressée par d'ignobles et puissants capitalistes, massacrant pour massacrer. Disons tranquillement que si le Vietcong s'était tenu tranquille, n'avait pas cherché à envahir le Sud, il n'aurait jamais été attaqué. S'il n'avait pas d'abord occupé une bande de 30 km du territoire du Cambodge, Sihanouk serait toujours sur son trône! Je répète que les Vietnamiens, sur le plan individuel, sont des pauvres, des malheureuses victimes, mais la nation vietnamienne fait partie des puissants, des conquérants, des envahisseurs et des fauteurs de guerre. Et son plus grand appui, c'est l'opinion publique mondiale. Et nous nous trouvons alors en présence d'un problème majeur de la pauvreté politique.

Les nations, les gouvernements qui ont l'appui de l'opinion sont parmi les riches, quels que soient par ailleurs leurs difficultés, leurs problèmes. L'opinion mondiale? existe-t-elle? Assurément on peut parler d'une division entre des courants de droite et des courants de gauche... Et pourtant ce n'est pas si clair et sensible. Il n'y a pas, par exemple, une opinion américaine, capitaliste, de droite et unanime contre l'ennemi qui serait le Vietnam... A l'échelle des nations nous pouvons dire qu'il y a une opinion qui se formule de façon monolithique dans les pays à dictature — alors qu'il y a des formulations diverses et divergentes dans les pays libéraux. Sur le plan international, nous ne saisissons une opinion qu'au travers de ses expressions publiques. Il importe peu que dans le secret tant de millions de Soviétiques soient en désaccord avec les déclarations du gouvernement. Ils n'ont aucun moyen d'expression réel (le samizdat étant le fait d'intellectuels) et de ce fait ne comptent strictement pas sur le plan de la formation d'une opinion mondiale au sujet d'un problème. Dans ce domaine, il y a uniquement la vérité officielle, l'expression de cette vérité dans les journaux, qui d'ailleurs manifestent l'accord des lecteurs et donc le courant de l'opinion lui-même. Par ailleurs, autre remarque préliminaire, il n'est pas sans importance de constater que les dictatures de droite ne se mêlent pas beaucoup des problèmes internationaux. Les journaux grecs, brésiliens ou chiliens ne parlent pas massivement en faveur (puisque c'est l'exemple que nous avons pris) du Vietnam du Sud, ou de l'Afrique du Sud ou de Taïwan. Il semble que ces gouvernements aient assez à faire avec leurs problèmes intérieurs, à débattre avec les oppositions, à faire de la propagande tournée vers leur propre peuple sans encore se mêler des questions internationales. Ils sont parfaitement négligeables sur le plan de la formation de l'opinion mondiale. Celle-ci se fait par les grandes dictatures de gauche, par les démocraties occidentales et par le tiers monde non en dictature. Or, nous venons de dire que les dictatures de gauche ont une formulation monolithique. Mais les démocraties occidentales? l'Occident? Il semblerait devoir être tourné vers la défense soit des régimes capitalistes (puisqu'il est capitaliste!), soit des dictatures de droite (puisqu'il est anticommuniste), soit des anciens colonisateurs... Distinguons bien le fait et l'opinion. En fait les grands trusts et les gouvernements peuvent en effet soutenir ces régimes. Mais pas exclusivement, parce que les affaires sont les affaires et on vend à n'importe qui pourvu que ça rapporte. Dès le lendemain de la victoire de Mao en Chine, quelques grands capitalistes internationaux étaient, les premiers, favorables à la reconnaissance du nouveau régime parce qu'il fallait leur faciliter les choses pour pouvoir entreprendre un commerce sérieux avec la Chine communiste! Par conséquent, déjà à ce niveau, ils ne seront pas farouchement et uniquement en faveur de l'autorité blanche en Rhodésie, du régime Thieu ou de la Corée du sud... Mais la situation est beaucoup plus complexe quand on considère l'opinion. Celle-ci n'est assurément pas, jamais, spontanée. Ce n'est pas le paysan du Cantal qui n'ayant jamais entendu parler du régime Thieu ou de l'Apartheid se mettra spontanément à manifester avec la dernière vigueur contre eux. En réalité, de toute façon, ça lui est bien égal, et il ne va pas s'exprimer là-dessus. Même s'il a des opinions à la suite de ce qu'il a entendu à la Télé ou lu dans son journal, il ne manifestera pas. Donc il ne comptera pas pour la formation d'une opinion mondiale. Ce qui compte, c'est d'une part les media eux-mêmes, d'autre part les groupes urbains qui manifestent.

Les media ont, sur le plan international, une tout autre situation que sur le plan interne : dans ce dernier domaine ils sont *un agent* de formation de l'opinion, et je renvoie à mon livre sur la propagande. Il y a une tension, une confrontation, entre l'opinion et les media. Sur le plan international, ils paraissent *être eux-mêmes* l'expression de l'opinion — c'est-à-dire que si l'on cherche à savoir ce que pensent les Français on va prendre les journaux et les émissions de T.V., que l'on tiendra pour représentatifs. C'est donc au travers des media que se forme la conviction qu'il y a une opinion mondiale, et de plus, qui elle est! On me dira que en démocratie, tout l'éventail des orientations *étant* représenté dans la presse, il n'y a pas *un* courant. Cela est vrai pour les affaires relativement indifférentes. Mais il faut maintenant tenir compte d'un autre facteur. Dans les dictatures socialistes, les media sont toujours utilisés comme intrument de propagande et insérés à l'intérieur d'une tactique. Telle nouvelle, telle information paraît obtenir tel résultat. Nous savons que les valeurs, les jugements moraux ne sont pas déterminants : ils sont des facteurs de propagande et des arguments — c'est-à-dire que l'on fait consciemment ce que l'on a assez reproché à la bourgeoisie du XIXe siècle de faire inconsciemment. Or, la situation n'est pas du tout la même en Occident. Même si cela n'est pas la source déterminante des conduites, même si les principes sont bafoués, l'Occident croit à certaines valeurs, affirme une morale et dépend des principes. L'Occident parle de vertu, de vérité, de liberté, de justice, de dignité de la personne humaine... Il ne fait que parler? Il n'agit pas conformément... Mais nous avons déjà vu que c'est précisément l'une des causes de la « personnalité névrotique » occidentale : ce n'est pas en vain, ce n'est pas pour rien que l'on affirme de telles valeurs. Même si on ne les applique pas, leur présence reste *crue,* qui juge celui qui désobéit et qui fonde *la mauvaise conscience.* Cela est le ressort essentiel de la création de l'opinion publique de l'Occident.

Lorsque la dictature hitlérienne s'est révélée pour ce qu'elle était, le problème a été simple. Le sursaut fut général, et le « monde libre » se trouvait en accord avec lui-même. Il s'agissait d'écraser l'ignoble qui bafouait toutes les valeurs : ici les intérêts marchaient ensemble avec les croyances. Tout est devenu beaucoup plus contradictoire à partir de 1948. Comment les Occidentaux pouvaient-ils fermer leurs oreilles et leurs cœurs aux exigences de liberté qui montaient des peuples colonisés? La répression terrible à Madagascar a laissé le peuple français épouvanté, écœuré... et les intérêts jouaient contre les « sentiments », mais ceux-ci existaient, ils provoquaient la mauvaise conscience. Et nous n'en sommes pas sortis. Il va de soi que les régimes de dictature sont mauvais, il va de soi que le racisme est mauvais... sans doute on ne veut pas être communiste, sans doute on est, dans le concret, raciste... mais on ne peut pas avoir bonne conscience en l'étant. L'anticommunisme ne peut plus être supporté, parce que le communisme ne cesse depuis un demi-siècle de se présenter comme le régime de la justice et de l'égalité — ce que veulent les Français et les Américains... Et sans doute les régimes historiques communistes ne sont pas cela, mais tout le monde sait que c'est un accident historique. Je ne dis pas du tout que l'opinion devient favorable aux peuples du tiers monde, ni au communisme, mais qu'il apparaît pour la conscience occidentale que l'invocation aux valeurs de ces groupes ne peut pas être rejetée. On ne peut pas refuser que le Noir prétende à l'égalité des droits avec le Blanc, ni qu'il exige la liberté. Et si on ne peut pas y adhérer complètement, cela provoque en définitive une mauvaise conscience essentielle. Dès lors l'opinion occidentale est partagée sur ces problèmes? Même pas, elle est tout entière, *dans son expression,* en faveur des peuples du tiers monde, de ceux qui combattent pour l'égalité, pour la justice... Je dis bien dans son expression, pas forcément dans sa réalité. En effet, les valeurs proclamées par l'Occident se situent justement au niveau de l'expression : elles sont dites, proclamées, affirmées, déclarées. Et la proclamation reste la même. Si bien que, même si l'on agit autrement, on ne peut tenir un autre discours. Et ce discours est celui qui semble formuler l'opinion, celui qui, au plan international, sera tenu pour l'opinion. Ainsi l'opinion paraîtra se situer en faveur des peuples opprimés et des combattants de la liberté. L'Occident a toujours déclaré prendre parti en faveur des petits contre les puissants. Il continue. Avec la difficulté, que maintenant c'est lui le puissant. Mais il ne peut pas se déjuger quant à ses valeurs! Et bien entendu ceux qui vont agir au maximum en cette affaire, ce sont les spécialistes des valeurs, c'est-à-dire les intellectuels. Il n'y aurait pas d'opinion mondiale sur l'Afrique du Sud ou sur la guerre du Vietnam s'il n'y avait pas d'intellectuels. Honneur des intellectuels? Non point! c'est la seule pratique qu'ils connaissent : ils sont les spécialistes de la proclamation des valeurs, ils sont les fabricants des codes moraux et ils continuent leur fonction avec délectation. Prenons garde, ils n'existeraient pas s'ils ne jouaient pas ce rôle — si bien que Ph. Sollers, qui n'y connaît strictement rien, se croit doctement obligé de prendre parti en faveur du néo néo marxisme et de la Chine... mais comment donc! — Or, ce sont les intellectuels qui couvrent, pour ces questions, les media. Ainsi, en réalité, les moyens de communication de masse expriment (je dis bien en Occident, non pas dans une dictature) l'opinion majeure, la plus courante des intellectuels et ceux-ci formulent les « exigences morales » selon les plus vieux canons. Sartre n'a rien renouvelé comme échelle des valeurs, il a un peu dépoussiéré, mis à jour, ce que l'on pense depuis à peu près 2500 ans. La formulation spécifiquement philosophique n'ayant en l'occurrence aucune importance. Tenants des valeurs, ils vont entrer en conflit avec l'establishment intérieur, et formuler l'opinion aux yeux des peuples, dans le monde. Ainsi l'on sera convaincu que l'opinion américaine est contre la guerre au Vietnam, et forcément à force de le dire, ça vient peu à peu! ou que l'opinion française était contre la guerre d'Algérie. Comme ceux qui étaient pour n'étaient généralement pas des intellectuels et de ce fait n'avaient guère de canal pour s'exprimer (et quand ils le faisaient, cela était toujours maladroit) ils n'existaient purement et simplement pas. Cependant, me direz-vous, il y a eu les défenseurs de la guerre en Algérie, les défenseurs de l'Algérie française? oui, sur le plan intérieur. A l'extérieur l'opinion mondiale était nettement hostile à la France, exactement comme au moment de la guerre du Vietnam, comme elle était hostile aux Pays-Bas au moment de la guerre d'Indonésie. Ceux de l'intérieur ne peuvent pas avoir bonne conscience de défendre une domination, une conquête, une exploitation : même s'ils ont la conviction qu'il faut le faire, ils n'ont pas la morale pour eux. Et en Occident celle-ci est essentielle. Quant à ceux de l'extérieur, nous avons un autre mécanisme tout à fait décisif : ils ont ici le moyen de se donner à eux-mêmes bonne conscience! Après avoir été le méchant que tout le monde montre du doigt, la France prend courageusement parti en faveur des Arabes contre Israël, en faveur du Vietnam du Nord contre les Etats-Unis, en faveur des Africains contre la Rhodésie : c'est le moyen de redorer son blason, de se refaire une virginité, de retrouver sa renommée de peuple de la liberté. Le jeu de la mauvaise conscience et de la volonté de recouvrer une bonne conscience explique comment l'Occident est forcé de basculer en faveur des peuples du tiers monde et du monde socialiste (je dis bien : au niveau de l'opinion, pas des affaires!). Ainsi d'un côté (celui des dictatures communistes), une opinion formulée monolithiquement et sans problème — de l'autre une opinion divisée mais qui ne peut que s'aligner dans le même sens. C'est ainsi que se structure ce que l'on appellera l'opinion mondiale (et qui, bien entendu, n'a rien à faire avec les opinions de milliards d'indivdus!). Or, avoir pour soi l'opinion mondiale, ce n'est pas rien! c'est même aujourd'hui une garantie de succès. On sait que finalement si la France a dû évacuer l'Algérie, c'est principalement à cause de la pression de cette opinion mondiale [1]. Il ne faudrait quand même pas oublier qu'en 1960 on pouvait considérer que la guerre était pratiquement achevée par une victoire militaire française. Le F.L.N. était très divisé, l'A.L.N. était à bout de ressources. Mais on ne pouvait pas rétablir la domination coloniale : c'était moralement et psychologiquement impossible. La totalité de l'opinion mondiale était en faveur des Algériens. Il a fallu que la France s'incline devant ce double fait. Je crois que dans l'Histoire c'est la première fois qu'un peuple vainqueur (d'une victoire à la vérité mitigée, douteuse et contestée!) était obligé de céder et de reculer. On a vu se reproduire le fait assez souvent depuis. L'opinion, à cause des media, est une force inouïe maintenant. C'est elle encore (et pas seulement la Chine) qui a obligé les Etats-Unis à reculer au Vietnam. Il était moralement impossible devant le jugement de l'opinion mondiale, exprimée en premier lieu par sa propre presse, que le gouvernement américain décide l'invasion et même continue indéfiniment les bombardements. Et ce jugement, c'était, il ne faut pas l'oublier, les Etats-Unis qui avaient largement contribué à le former en jugeant les autres puissances coloniales en 1945 : il était, d'autre part, de toute évidence légitime : comment pourrait-on éviter d'être du côté des faibles sans défense, enfants et femmes écrasés sous les bombardements? Nous sommes ici en présence de « données immé-

---

1. Je voudrais redire encore une fois que si j'écris cela, ce n'est nullement parce que j'étais pour l'Algérie française! J'ai été en faveur de la décolonisation, et de l'indépendance. En tout cas depuis 1935-1936, après le *Rapport Violette* et le *Voyage au Congo*!

diates de la conscience ». Mais données immédiates qui ont été élaborées par l'Occident, qui sont un produit exclusif de l'Occident.

Seuls, pendant un certain temps, le Portugal et l'Afrique du Sud résistent à cette pression. Mais le Portugal a cédé. L'Afrique du Sud? Quand se déclenchera la crise? On ne peut vivre indéfiniment maudit par tous et abandonné par les siens. Et le même phénomène s'est produit dans le camp socialiste : l'U.R.S.S. a représenté longtemps l'unité des principes et de l'action. Même au temps de Staline. Mais l'éclatement s'est fait lors de l'affaire de Tchécoslovaquie. Brusquement à ce moment « l'opinion mondiale » s'est retournée contre la Russie. Elle avait pu jusque-là faire ce qui lui plaisait, elle était assurée de l'appui de tous les partis communistes, et comme elle jouait sur la certitude que le capitalisme représentait tous les maux spirituels, moraux et politiques, elle engendrait, même chez ceux qui n'étaient pas communistes, au moins, une sorte d'adhésion inconsciente par création de la mauvaise conscience — sauf les fanatiques restant ouvertement fascistes, les autres, hostiles au communisme, étaient honteux de l'être, n'osaient pas l'afficher : la morale et le bien étaient du côté du communisme [1]. Et voici que brutalement, cela a changé — ou plutôt, certes, la morale et le bien sont toujours du côté du communisme (par le jeu de la mauvaise conscience) mais l'U.R.S.S. n'est plus identifiée au communisme. Elle est même souvent accusée de l'avoir trahi! Dès lors elle se trouve maintenant dans la même situation que les autres grands Etats. Elle sait qu'elle ne pourrait plus recommencer l'invasion de la Tchécoslovaquie, comme antérieurement celles de la Pologne et de la Hongrie.

Enfin dans ce domaine de l'opinion mondiale, il y a un

1. Il est bien intéressant de relire les articles du temps de l'affaire Kravchenko!

élément qu'il ne faut certes pas négliger, l'O.N.U. Celle-ci peut se donner comme exprimant sur le plan politique cette opinion mondiale. Assurément d'une façon beaucoup moins nette, beaucoup moins pressante que cette opinion fabriquée par les intellectuels, mais quand même, elle compte comme référence morale et comme désignation de la légitimité. Elle est encore certes plus influente que le Tribunal Russell. Or, il ne faut pas oublier que l'O.N.U. est maintenant largement dominée par les peuples du tiers monde qui détiennent une majorité absolue à l'assemblée — ce qui fait que dans des conflits, automatiquement les peuples du tiers monde ont raison, quelles que soient les causes et les conditions. Nous sommes en présence à l'O.N.U. maintenant d'un phénomène aussi automatique du partage des votes qu'à l'Assemblée nationale française, et avec une aussi grande absence d'imprévu. On sait d'avance comment tel député vote parce qu'il ne vote pas selon son intelligence ou sa conscience mais selon le bloc auquel il appartient. Il en est de même à l'O.N.U. Et forcément les peuples occidentaux étant une petite majorité, qui plus est divisés entre eux, sont automatiquement battus. Il est forcé qu'Israël soit condamné et archicondamné à l'O.N.U. — Mais cela ne signifie rien, puisque ce qui est exprimé c'est simplement le choix des pays du tiers monde en faveur des Arabes, ce qui va de soi. Venir proclamer qu'Israël doit obéir à ces décisions, c'est simplement demander que l'on considère l'alliance des peuples du tiers monde avec les Arabes comme représentant la vérité et la légitimité. Bien entendu, on dira que l'O.N.U. est totalement stérilisée, incapable de faire appliquer ses décisions, ce qui est parfaitement exact. Mais sur le plan psychologique et moral, en fonction de l'opinion, ces jugements comptent beaucoup, et d'autant plus que le coupable n'obéit pas. Israël a perdu considérablement de son prestige, de ses amis, de ses appuis du fait qu'il a été condamné par l'O.N.U., et qu'il n'a pas obéi. C'est une sorte de note d'infamie. Même ceux qui étaient franchement favorables deviennent hésitants et dubitatifs, sont moins certains du bon droit d'Israël, prennent également mauvaise conscience du fait que le tiers monde, misérable et exploité, s'est mis du côté des peuples arabes...

Il faut donc en réalité pour déterminer les vrais pauvres de notre temps considérer presque au premier chef l'attitude de cette opinion mondiale, et à tout le moins combiner les trois facteurs. Non, le Vietnam du Nord n'est pas parmi les plus pauvres. Dans une certaine mesure, Israël est, dans son extrême solitude, parmi ces pauvres. Il faut quand même, quel que soit le parti que l'on adopte, considérer qu'Israël est soumis à la pression constante d'un ennemi *cent fois* supérieur en nombre avec un territoire totalement encerclé, condamné par l'O.N.U., ayant tous les pays du tiers monde et du bloc socialiste contre lui, abandonné par un grand nombre de pays occidentaux, certes soutenu par « la juiverie internationale », ce qui n'est pas rien mais ce dont on mesure la limite par la perte des nombreux amis du début, soutenu partiellement par les Etats-Unis — mais avec combien d'aléas et d'incertitudes pour l'avenir. Malgré sa puissance militaire et économique, Israël est parmi les pauvres *à ce point de vue de l'opinion mondiale*. On peut dire qu'Israël est un affreux impérialiste (mais cela ne vise en fait que son rapport aux Etats-Unis parce qu'en soi on ne voit pas très bien en quoi Israël est impérialiste) cela fait justement partie de ce « jugement mondial » (simpliste, ridicule, mais décisif, convaincant et partagé!). On peut dire qu'Israël est militariste, étatiste, agressif, policier... ce qui est vrai, mais comment une nation dans cette situation terrible ne deviendrait-elle pas cela... J'aimerais que l'on ait le courage d'appliquer de façon impartiale le genre de raisonnement que j'entends si souvent dans les milieux de

gauche : par exemple : si les guerrilleros ou les Palestiniens
prennent des otages, c'est parce qu'ils n'ont pas d'autres
moyens pour faire entendre leur voix, c'est parce qu'ils sont
désespérés qu'ils en viennent à cette extrémité... ou encore :
si les contestataires (dans notre société) cassent tout (cela
en 1968!) c'est que c'est la société qui a commencé à être
répressive et violente. Alors disons la même chose pour
Israël : soumis à une violence permanente dès son origine,
depuis 1947, à une agression ouverte ou déguisée constante,
n'ayant pratiquement pas d'autre moyen pour assurer sa
survie que l'armement et la réponse coup pour coup, comment Israël aurait-il survécu autrement (et je sais que cet
argument ne convaincra pas ceux qui estiment qu'Israël
ne doit pas survivre! mais rares sont ceux qui ont l'audace
de l'avouer ainsi!)? Autrement dit c'est l'environnement qui
est responsable de ce qu'Israël est devenu guerrier et policier... Assurément les Palestiniens, pris individuellement,
sont des pauvres actuellement encore déracinés, exploités,
pourchassés. Il n'y a pas à le discuter. Ils ont été parmi les
plus pauvres, et ce n'est pas utile de rappeler, alors que cela
a été dit mille fois, les drames de la faim, de l'entassement,
de l'absence de travail quand ils étaient entassés dans les
camps de l'enclave de Gaza. Mais il faut souligner deux
choses : d'abord que la misère des Palestiniens n'est le résultat de l'action d'Israël et de l'Occident que d'une façon
partielle : c'est dans la mesure où les peuples arabes n'ont
pas voulu les recevoir et où les dirigeants palestiniens ont
obstinément refusé de conduire leur peuple ailleurs que le
blocage dans les camps devient irrémédiable. Or, il n'était
pas plus difficile à l'immensité arabe de recevoir ces Palestiniens, qu'à l'Allemagne de recevoir les centaines de milliers
d'Allemands chassés de leur territoire en 1945, qu'au Vietnam du Sud de recevoir les centaines de milliers (probablement le million) de Vietnamiens fuyant le régime des Viet-
congs, qu'à la France de recevoir le million de Pieds Noirs.

Les camps Palestiniens sont l'œuvre volontaire et systématique du monde arabe pour entretenir un abcès purulent et
refuser de façon permanente la création d'Israël (qui a, bien
sûr, entraîné *aussi* cette injustice). Et nous sommes hélas
dans un monde où on ne répare une injustice qu'en en provoquant une autre... Où en serions-nous si l'Allemagne avait
parqué ses réfugiés dans des camps à la frontière Oder
Neisse pour la refuser, si la France avait parqué les pieds
noirs dans des camps pour ne pas accepter l'Algérie algé-
rienne? Mais bien plus, les Palestiniens par leur courage, leur héroïsme, et surtout l'utilisation que l'on a fait
d'eux dans le grand débat des puissances et la stratégie communiste ou américaine, sont devenus des pions indispensables. Ils ont acquis droit de cité. La presse mondiale a
retenti de leurs revendications et de leurs attentes. D'innombrables comités de soutien, les Eglises, les partis de gauche,
les Etats communistes ont pris fait et cause pour eux. Les
individus, bien sûr, ont toujours été aussi malheureux. Et
nourris essentiellement par les dons des organismes internationaux, c'est-à-dire à 80 % par les Etats-Unis, contre qui
ces mêmes Palestiniens servaient de terrain de propagande.
Les Palestiniens en bloc, comme ensemble politique, sont
devenus un facteur primordial. Ils ont été soutenus par tout
ce que l'on compte d'intellectuels. Ils ont progressivement
gagné l'opinion mondiale. Alors, en tant qu'entité, ils ont
cessé d'être des pauvres. Ils sont des gagnants, des victo-
rieux. Malgré leur misère, à cause de leur misère, ils sont
les héros de ce temps. Malgré les attentats affreux qu'ils
commettent. On excuse tout (non pas l'opinion banale du
boulanger du coin, qui continue à se scandaliser des assassinats, mais les « opinions makers »). Ils sont chaque fois
justifiés, alors que, quand Israël répond, on s'évertue à
démontrer l'injustice d'Israël. Et les tenants des Palestiniens
ont l'agréable sensation d'être en même temps du côté de la
justice, du côté des pauvres, et du côté des immanquables

vainqueurs! Car Israël ne peut être, à la longue, que vaincu, dans ce retournement progressif de l'opinion mondiale. Plus le conflit dure, plus les chances de gagner d'Israël s'amenuisent, parce qu'Israël peut remporter dix guerres, le monde arabe reste tel quel. Il suffirait qu'Israël en perde une, pour être balayé. Et le monde commence à être lassé de cette affaire : finissons-en, et puisque Israël est la cause d'un tel ennui, liquidons Israël. Voilà pourquoi c'est Israël le pauvre, et les Palestiniens sont en tant qu'entité les riches. L'O.N.U. l'a consacré.

Je voudrais essentiellement ici rappeler tous ceux qui ont simplement disparu dans les oubliettes de la mémoire mondiale. Tous les peuples déplacés et conquis après la guerre de 1940. Les Polonais soumis au joug russe et allemand, les Allemands soumis au joug polonais, les Baltes et Bessarabiens soumis au joug soviétique... Il y a là cinquante millions de personnes dont le sort a été scellé par la conquête et par la décision de Yalta, sans leur consentement, et toutes leurs protestations ou révoltes écrasées par leurs conquérants. Ils n'ont aucun moyen, l'opinion mondiale étant indifférente. Ils sont bien plus abandonnés que les Palestiniens. Je pense également aux Harkis. Ici nous sommes en présence d'un drame affreux, de ces hommes pourchassés par leurs compatriotes, abandonnés par la France à qui ils s'étaient livrés et en qui ils avaient confiance, bien entendu obligés de fuir, n'ayant le choix qu'entre la mort ou l'exil, oubliés par le monde et jugés en moyenne par l'opinion française comme sans intérêt parce que finalement, le F.L.N. a fini par triompher, et psychologiquement aussi : ils étaient donc des traîtres purs et simples, des collaborateurs méprisables comme le furent les collaborateurs des nazis... alors qu'ils avaient non pas trahi leur peuple, mais accepté une forme nouvelle de civilisation pour lui... les Harkis sont toujours parmi les pauvres, les plus pauvres, et abandonnés. Mais comme ceux dont je parlais un peu plus haut, ils n'intéressent pas. Ce qui est bien la preuve de leur pauvreté. Ils ne posent plus de problème brûlant. D'ailleurs ils ont cessé le combat et ils ne sont plus gênants; qu'ils restent totalement malheureux, cela ne nous concerne plus.

Ce qui est plus remarquable encore, c'est le refus de prendre en considération des peuples qui se battent toujours pour leur liberté, contre leurs envahisseurs et qui n'intéressent personne. Il faudrait parler des Biharis, des Soudanais du Sud... je ne retiendrai que deux exemples. Les Kurdes : c'est le peuple qui, dans le monde entier, lutte pour sa liberté depuis le plus longtemps. La lutte des Kurdes a commencé en 1804 : il y a aujourd'hui cent soixante-dix ans, que pratiquement sans interruption ils se battent contre les plus féroces des régimes. Ils ont été soumis à une répression atroce pendant la conquête turque. Un siècle, ils ont combattu sans jamais fléchir, et l'on sait à quel point toutes les atrocités ont été commises par les pouvoirs turcs contre les Kurdes et les Chrétiens de l'Empire ottoman. Mais depuis 1920, et après 1944 la situation ne s'est pas beaucoup améliorée pour eux. Ecartelés entre la Turquie, l'Iran, l'Irak, ils sont, surtout du fait de ce dernier pays, l'objet d'un écrasement systématique, culturel, religieux, militaire, politique. Les Kurdes n'ont pas droit à leur langue — chacune de leurs manifestations *pacifiques* se solde par *des centaines de tués* (les massacres de Mardiri et de Bayir du fait des Turcs en 1961) et ils sont contraints à la guerre, une guerre incessante contre l'Irak. Nous ne sommes pas ici en présence d'une revendication nationaliste ordinaire, banale, car en fait le grand problème c'est la défense d'une culture. La revendication de la création d'une Nation, d'un Etat kurde est bien moins importante que : « Laissez-nous tranquilles chez nous, nous n'attendons rien de vous, laissez-nous parler notre langue, pratiquer notre religion, ne pas participer à votre politique et votre économie », c'est cela qui est fondamental pour ces peuples montagnards qui veulent rester authentiquement libres sans entrer nécessairement dans le cadrage de l'Etat-Nation moderne. Leur importance est, de ce fait, décisive mais cela n'intéresse personne. Ils sont entre deux et dix millions à réclamer leur liberté, ou plutôt qu'on leur laisse la liberté qu'ils ont dans leurs montagnes, ils ne réclament rien, sinon qu'on leur foute la paix. Mais ça ne vaut pas un regard ni une minute d'attention...

Lorsque j'écrivais cette page en juin 1974, n'avaient pas encore paru les articles de Postel Vinay dans *Le Monde*, de juillet 1974. Mais je n'ai rien eu à en changer. En effet, Postel Vinay nous apporte quelques images folkloriques de ce combat, à un niveau tout à fait journalistique et spectaculaire, sans montrer en rien le facteur profond. Je dirais même qu'il dessert la cause des Kurdes par l'insistance sur les éléments féodaux de l'affaire. De plus il fait remonter le combat à 1961... il oublie que ceci n'est qu'une reprise d'une résistance, bien antérieure, de même qu'il oublie de parler de la persécution subie sous le régime turc et en Iran. En réalité, si brusquement un grand journal s'est intéressé aux Kurdes cela tient strictement au fait que deux semaines plus tôt, le général Barzani avait menacé de détruire la plus importante installation de pétrole d'Irak, et de couper les réserves de pétrole... alors là, n'est-ce pas, ça devenait sérieux, ça méritait que l'on parle de ces montagnards arriérés, s'ils risquaient d'aggraver la crise pétrolière... Mais leur combat pour la liberté, pour leur culture et leur identité, rien du tout — aucun intérêt.

Dans ces articles Postel Vinay, incapable de poser le problème dans sa dimension totale, se demande ce que peut bien vouloir le général Barzani, si les négociations politiques ne seraient finalement pas plus rentables et recherche quelle serait la « sagesse » en ces conditions! Il accorde la plus grande place bien entendu au pétrole, con-

d'une conquête à l'état pur, et qui a été difficile. D'ailleurs Mao n'a fait que continuer, comme dans bien d'autres domaines, la politique de Tchang Kaï Chek. Celui-ci avait déjà entamé la conquête du Tibet oriental, en occupant peu à peu l'Amdo. La conquête de Mao fut plus brutale. A partir de 1950, avec une armée de 120 000 hommes, contre les 8 000 soldats tibétains, on conquiert le Kham. Et l'on éprouve une résistance insoupçonnée, ce ne sera qu'en 1959 que l'armée chinoise aura réussi à occuper tout le Tibet. L'appel du Tibet aux Nations-Unies avait été rejeté en 1950 et malgré toutes les démarches du gouvernement tibétain on ne prononcera plus le nom du Tibet à l'O.N.U. jusqu'en 1959! Les Chinois y pratiquent une politique d'oppression totale, et en particulier un des grands moyens d'action, c'est le fait d'enlever de force tous les enfants de cinq ans pour les faire élever en Chine pendant plus de dix ans, les siniser totalement pour les renvoyer ensuite au Tibet pour porter la vérité chez leurs frères... La déportation des enfants est chose quotidienne. Mais, il ne faut pas croire que le Tibet soit pacifié. Exactement comme les Kurdes, les Tibétains ont continué le combat, massivement, contre les Chinois depuis plus de vingt ans. Pour leur liberté aussi. Ce sont essentiellement les peuples montagnards semi-nomades du Kham qui mènent le combat, mais comme les Kurdes, cela a dépassé le stade de la petite guérilla de montagne, pour devenir le combat d'une armée bien organisée qui fixe en permanence au Tibet une force militaire chinoise d'intervention d'environ deux cent mille hommes qui se bat presque constamment. Nous n'en avions pas beaucoup plus en Algérie! Or, non seulement on ne s'y intéresse pas, mais encore on refuse systématiquement d'en tenir compte. Sait-on par exemple qu'il existe un film reportage extraordinaire de Patterson sur la résistance au Tibet mais que ce film a été saisi partout où les nations occidentales ont pu le faire, et qu'en France on a refusé en

1972 sa projection : la censure a joué... mais personne ne s'en est ému. La cause des Tibétains vaut certes celle des Palestiniens. Et ils sont beaucoup plus totalement pauvres, puisque personne, strictement personne ne s'intéresse à eux! La cause des Kurdes vaut bien celle des Vietnamiens du Nord, et ils sont bien plus totalement pauvres puisqu'ils n'ont aucune espèce d'indépendance... Mais ces braves gens n'intéressent personne! Il n'y a pas de Comité pour l'indépendance des Kurdes ou des Tibétains, il n'y a pas d'informations, il n'y a pas mouvement d'opinion. Ces cas sont typiques : la pauvreté individuelle y rejoint la pauvreté collective et politique. Ils sont démunis à la fois sur le plan économique et sur le plan des appuis internationaux et sur le plan de la renommée..

Vraiment les plus pauvres. Alors pourquoi donc aucune de ces voix généreuses qui ne cessent de s'élever pour défendre les Indiens ou les Noirs des Etats-Unis, les peuples opprimés de Grèce et du Brésil, le Vietnam du Nord et les Palestiniens, pourquoi se taisent-elles? Pourquoi le Tribunal Russel ne dit-il rien sur l'abomination des Irakiens et des Chinois? Je crains hélas de trop bien comprendre! Le Biafra non plus n'a intéressé personne pendant des années jusqu'à ce que l'on ait pu découvrir (ou prétendre!) qu'il y avait dessous une sordide affaire de pétrole (ce dont finalment je doute radicalement!) : alors cela commençait à devenir intéressant. On pouvait enfin appliquer à nouveau la théorie simple et explicative universelle, celle des classes et des intérêts, impérialisme, action de la C.I.A. etc. Alors il valait la peine de s'intéresser aux Biafrais (pour les condamner d'ailleurs) comme obéissant à des manipulations impérialistes. Autrement en eux-mêmes, ils étaient sans importance, et leurs effroyables souffrances ne méritaient pas l'attention des hauts penseurs politiques qui font l'opinion mondiale. Les Kurdes? de toute façon les Arabes, nos chers amis, ont raison. Côté capitaliste on ne va pas encore envenimer les affaires du pétrole, en soutenant ces hurluberlus de montagnards. Côté Gauche : *a priori* les peuples arabes sont dans le bon chemin : les nations arabes (sauf Fayçal et le Yémen du Sud...) sont progressistes et avancent dans la voie honorable du nationalisme et du socialisme (?). Les Kurdes sont des féodaux réactionnaires et moyenâgeux. Aucun intérêt. Quant aux Tibétains la situation est pire : la Droite (Peyreffitte) et la Gauche étant débordants d'admiration pour la Chine, l'unanimité s'étant faite autour de ce régime qui synthétise la *Solution* « culturelle-économique-politique-démocratique-spirituelle-socialiste-humaniste-révolutionnaire », comment pourrait-on prendre parti pour les obscurantistes qui refusent de profiter des grandes joies de ce régime; ici encore ce sont évidemment des féodaux esclavagistes (alors que l'esclavage n'a *jamais* existé au Tibet... mais on n'en est pas à un mensonge près) qui défendent leurs privilèges... l'hostilité le dispute à l'ironie envers ces attardés. Ces réactions unanimes signifient en réalité une seule chose : c'est que la cause de la liberté des peuples est totalement indifférente à nos vaillants défenseurs du Vietnam ou de l'Afrique noire : en réalité, le Vietnamien, l'Africain, ils s'en foutent autant que des Kurdes ou des Tibétains : la seule chose qui leur importe c'est leur option politique, prise pour des raisons passionnelles et parfaitement irréfléchies, exprimant exclusivement un courant sociologique. Le Vietnamien, le Chilien, le Grec, ce sont uniquement des *arguments,* des thèmes de propagande. La réalité de la souffrance et de l'oppression est indifférente à ces bons apôtres. Ils se détourneraient de ces victimes (comme on s'est désintéressé des Algériens aussitôt après la victoire de Ben Bella...) lorsqu'elles cesseraient de servir de tremplin d'argumentation partisane. Ne vous laissez pas prendre aux clameurs des défenseurs des Palestiniens, des Chiliens, des Noirs américains : quand ils parlent, c'est par leur bouche un simple mécanisme sociologique qui fonctionne. Ils ne le savent pas, mais ils mentent.

Le monde a été unifié par l'Occident. Le monde a été investi par la technique occidentale. Pour ces deux raisons, les peuples sont maintenant directement tous confrontés les uns aux autres — et les peuples sont divisés en riches et pauvres. Le monde a été modelé par les mass media, inventés par l'Occident. Cela a transposé la réalité de richesse et de pauvreté dans un autre registre. Et nous voici devant une trahison de plus de l'Occident : pour se faire pardonner par les peuples si nombreux qui, hors de l'Occident, sont en train de gagner la puissance, l'Occident trahit les vrais pauvres, les mure dans le silence, aide les peuples dont il quête l'approbation à les enfoncer dans le néant.

Les vrais pauvres : les minorités que l'on oublie. Voilà la définition. Où sont ces combattants de la liberté que furent les Biafrais et les Katangais? Il a fallu les salir, les accuser (défenseurs du capitalisme, de l'impérialisme) grâce à d'ignobles mensonges pour les enfoncer davantage et légitimer l'oppression et le massacre des dirigeants nationalistes. Pas plus que le Tibet n'appartient de droit à la Chine, pas davantage le Katanga n'appartenait au royaume du Congo avant l'invasion belge... Mais c'étaient des minorités. L'Histoire des trente dernières années nous permet d'affirmer une loi générale : *les Minorités ethniques et culturelles n'ont aucun droit à l'indépendance, doivent être effacées, et ont toujours tort.* Une amère expérience, une amère vérité. Et c'est au moment même où dans un geste un peu idéaliste, l'Occident proclamait le principe de l'autodétermination des minorités, de l'indépendance des « nationalités » que la première violation était massivement faite, dans le traité de Versailles et en U.R.S.S. avec les Ukrainiens. Entre la nécessité de fabriquer des Nations et le droit des minorités à l'indépendance, la balance idéologique n'était pas égale. Le Nationalisme est la loi universelle de notre temps. Le reste doit s'effacer. Il semble parfaitement normal, alors que la S.D.N. affirmait le principe, que la Yougoslavie et la Tchécoslovaquie soient des assemblages composites avec des minorités opprimées. Il semble parfaitement normal au moment où l'U.R.S.S. proclamait la liberté d'adhésion des républiques socialistes que le gouvernement central aille écraser le mouvement autonomiste de Makhno. Proclamer l'indépendance des minorités, c'était purement et simplement provoquer une révolte, une insoumission. Les cultures et les peuples étaient dès lors condamnés, par les communistes et les capitalistes unis, au nom de la communion nationaliste universelle. Les Minorités nationales oubliées, voilà les pauvres. Qui défend les Biharis? les Utus? les Musulmans du Nord du Tchad? Disparaissez, trublions, à moins que vous ne soyez des pions utilisables dans la stratégie mondiale des grands. Depuis 1945, ce fut la vraie débâcle des minorités sous la double pression des régimes communistes et des régimes nationalistes des pays nouvellement libérés. Ailleurs le travail était déjà achevé. Mais c'est bien le drame de ce temps : les nouveaux pouvoirs n'ont rien su faire d'autre que les anciens. Anéantir les cultures locales, écraser les mouvements d'indépendance, accuser les autonomistes. Par une étonnante discrimination, on tolère des minorités qui s'inscrivent dans l'éventail des opinions politiques. Des régimes capitalistes accepteront des partis communistes. Des régimes africains accepteront plusieurs « partis » politiques. Des régimes socialistes accepteront des partis du centre gauche... Les opinions politiques inscrites dans la gamme des couleurs mondialement admise sont, à la rigueur, acceptables. Mais les minorités culturelles, absolument pas. Que, au nom d'un passé commun, d'une religion, de rites et de mœurs, d'une langue et de coutumes spécifiques, on veuille ne pas être soumis à un organisme politique national, centralisateur, unificateur, cela n'est pas acceptable. L'opinion mondiale est faite. Elle est sans recours. Les Minorités ethniques et culturelles sont condamnées. Leurs membres sont les vrais pauvres de notre siècle.

II

Le naufrage de la Gauche

Et quelle est donc, désormais, la position de la Gauche envers les pauvres, qui étaient sa seule vérité? La terrible aventure de Makhno n'a pas été un accident de parcours, elle n'a pas été une erreur, elle n'a pas été une déviation regrettable mais oubliée : elle a été le point de départ d'une évolution qui s'est déroulée avec une rigueur implacable et qui a défiguré la Gauche. Elle était d'ailleurs inscrite déjà dans la construction si subtile de la stratégie et de la tactique par Lénine. Il dit, tout le monde le sait, qu'il faut d'abord calculer les chances de la Révolution. Il faut choisir ce qui peut servir à la Révolution. Il faut s'allier avec n'importe quelles forces qui, actuellement, favorisent (volontairement ou non) la Révolution. Il faut rejeter celles qui risquent de la desservir. Ainsi peut-on condamner la révolte des Tchèques contre l'oppression austro-hongroise. Ainsi, bien plus tard, on peut faire alliance avec Hitler. Ainsi, bien plus tôt, on peut laisser écraser les Spartakistes et Rosa Luxembourg. Les pauvres? ils sont une pièce de l'échiquier. Ils sont un levier pour la stratégie ou la tactique. Ils sont une armée de réserve. Et si le prolétariat chômeur est l'armée de réserve du capitalisme, le prolétariat pauvre n'est rien de plus que la masse de manœuvre et l'armée de réserve de la Révolution. Celle-ci est devenue une sorte de déesse transcendante, dont l'évocation suffit comme raison dernière, justification absolue, objectif qualificateur, sens et limite. Les pauvres n'ont aucune valeur par eux-mêmes, ils ne sont pas défendus et protégés parce que pauvres, parce qu'hommes détruits et aliénés. La Gauche ne « s'intéresse » à telle catégorie de pauvres que dans la mesure où ils servent le grand dessein, où ils peuvent être inscrits dans son plan, où ils acceptent aussi le rôle de pion, de masse de manœuvre, de troupe anonyme, dans un ensemble qui est l'équivalent d'une armée.

La Gauche organisée est devenue l'équivalent d'un général pour qui les troupes sont uniquement le moyen de la victoire. La réalité humaine du soldat qui souffre lui est étrangère. Et maintenant à la suite de Lénine, il en est exactement ainsi de la Gauche à l'égard des pauvres. C'est sur ce point, sur ce *seul* point que je me sépare radicalement de la Gauche. Mais de cela, tout le reste découle. La Gauche est devenue aussi mensongère et hypocrite que la bourgeoisie parce qu'elle continue à proclamer sa vertu, la défense des pauvres. Elle continue à s'affirmer comme le représentant des classes misérables. Mais elle ment. Elle défend et soutient exclusivement ce qui peut la servir, ceux qui sont utilisables soit pour sa propagande, soit pour l'action directe. Elle utilise les pauvres exactement comme le capitalisme. Elle les exploite. Elle les fait marcher sans leur dévoiler ses vrais objectifs. Elle leur ment jour après jour. Faut-il rappeler l'exclamation désabusée de Monatte en 1950! Il n'y a à se poser aucune des questions que Sartre l'Innocent s'est posée tragiquement au sujet du P.C. Il suffit de regarder la réalité. Mais Sartre a pour toujours et dès le début remplacé le réel par son imaginaire. « Comment, dira-t-on, mais enfin qui, maintenant, en France défend les travailleurs immigrés, qui défend les chômeurs? ne sont-ce pas de vrais pauvres? » Mais oui, mais oui, ce sont les pauvres actuellement utilisables pour les objectifs de la Gauche, et c'est en

cela, en cela seulement qu'ils sont poussés sur le devant de
la scène et pris au sérieux. Ils n'existent pas pour eux-mêmes,
ils n'existent pas en tant qu'hommes dépouillés, aliénés,
vaincus, malgré les larmoiements des intellectuels de la Gauche. Qu'est-ce qui me fait dire des choses aussi scandaleuses?
La plus simple, la plus évidente expérience historique. Pourquoi entre des groupes également pauvres, également opprimés, pourquoi la Gauche choisit-elle de défendre les uns,
et non seulement d'oublier les autres, mais bien plus, de
les condamner, de les accabler de honte et de mépris, de
les vouer à la haine de la Gauche? Uniquement pour des
raisons tactiques. Ce qui m'oblige à dire que ceux auxquels
elle s'intéresse ne comptent pas plus en eux-mêmes que les
autres. Pourquoi la Gauche ne s'intéresse-t-elle pas aux
Harkis? Bien plus, du jour où un régime communiste s'est
installé, il n'y a plus de pauvre. Et ceux qui se révoltent
sont de dangereux contre-révolutionnaires qu'il faut écraser.
L'effroyable misère paysanne en U.R.S.S., autant que la
décrépitude des masses algériennes, ne compte pas. Et mille
autres exemples indiscutables. Non : les pauvres ont tort de
dire qu'ils sont encore pauvres et de vouloir se révolter
contre cette nouvelle oppression. C'est toujours la grande
loi de la tactique. On n'avait pas en 1936 ou en 1945 le
droit de dire que le communisme stalinien était une dictature
sanguinaire et que les camps de concentration y étaient
équivalents à ceux du nazisme. On n'a pas le droit aujour-
d'hui de dire que la Chine est une dictature de fer et que
les camps de concentration y sont florissants. Chutt... cela
servirait les ennemis de la Révolution. La Gauche est enga-
gée jusqu'au cou dans le mensonge. Elle ne représente en
rien les pauvres. Elle ne les défend en rien. Elle a substitué
pour eux à l'illusion religieuse du paradis céleste à venir,
l'illusion politique du paradis terrestre à venir. La Gauche
est l'exact équivalent de l'Eglise bourgeoise du XIXe siècle,
à l'égard des pauvres. Elle en présente les mêmes caractères

et mérite le même mépris. Parmi les pauvres, exactement comme pour les bourgeois chrétiens du XIXe siècle, il y a les bons pauvres, ceux qui marchent dans la combine, ceux qui sont les bons moutons de la Révolution, ceux dont la situation peut être exploitée comme facteur de propagande. Et puis les mauvais pauvres, ceux qui refusent, dans un régime communiste, de se trouver bien, ceux qui se révoltent à tort et à travers simplement parce qu'ils sont malheureux et sans tenir compte des plans de la Révolution mondiale, ceux qui représentent des valeurs et une culture traditionnelles. Tous ceux-là il faut simplement les réprimer, les refouler. Mais à partir du moment où la Gauche a ainsi et pour toujours trahi les pauvres, elle a aussi trahi l'Occident. Elle est entrée dans la voie du Mensonge total, c'est-à-dire que, comme la bourgeoisie dont elle a pris la suite, elle poursuit exactement le retournement de la création de l'Occident. La liberté, pour elle, est identifiée à sa propre dictature (comme l'avait déjà fait le capitalisme). La Raison est devenue le plus plat et sectaire rationalisme. L'individu a disparu dans la tourmente collectiviste. L'Histoire que l'homme fait a été remplacée par une divinisation de l'Histoire et par une morne automaticité de son déroulement. Ce qui fut l'honneur et la gloire de l'Occident est maintenant entre les mains de la Gauche une redondance stérile, un discours insignifiant qui ne débouche, et ne débouchera, sur rien. Il n'y a plus de lendemains qui chantent parce que la Gauche a perdu tout ce qui lui avait été légué. Elle a sombré dans le Mysticisme le plus incroyable. Construisant les Mythologies les plus surprenantes pour qui n'est pas d'abord croyant. Ce qu'il y a eu de plus échevelé dans les mythologies construites à partir du christianisme est d'une sagesse, d'une raison exemplaire à côté des discours stupéfiants que l'on a tenus du temps de Staline, que l'on tient autour de la Chine de Mao. Et en présence d'un tel mysticisme, il va de soi qu'aucune expérience, aucune raison, aucune analyse ne sert. Le croyant de Gauche est médiéval. Surtout quand il est intellectuel. Accompagnant cette religiosité, marquée par l'infaillibilité du Parti, s'est installé le conformisme. La Gauche est pour ce temps la somme de tous les conformismes.

En cela encore, elle trahit l'Occident. Et d'autant plus que si elle a dénaturé tout ce que l'Occident avait innové, porté au monde, ouvert devant l'homme, inversement elle s'est fait le pieux légataire de tout le mal que ce même Occident avait inauguré. Il suffit de rappeler les deux grandes plaies : l'exploitation de l'homme par l'homme et le Nationalisme. Parce qu'elle vient après, parce qu'elle est héritière, elle a porté à la perfection les sanglantes erreurs. Car jamais, au pire temps de l'esclavage des Africains au XVIIe-XXVIIIe siècle, l'Occident n'a transformé l'homme en instrument de production sans droits et sans l'ombre d'une autonomie, comme l'U.R.S.S. Et comment pourrait-on dire : « Pardon, l'Archipel du Goulag ce n'est qu'un accident historique! c'est lié à une personne devenue folle... » Qu'est-ce que c'est que ce discours pour un homme de Gauche? Non, il n'y a pas d'Accident en histoire. Non, il n'y a pas de personnalité qui détermine l'histoire. L'U.R.S.S. stalinienne est inscrite dans la pensée de Lénine. Elle se poursuit exactement aujourd'hui. Et la Chine est fondée sur les mêmes principes. Un seul pas de plus : arriver à l'esclave *heureux*. Mais c'est aussi exactement la grande réussite des esclavagistes du Deep South [1]. Et ce sera bientôt la réussite

---

1. Mais cette indiscutable réalité historique ne peut pas être reconnue pour telle par le simplisme interprétatif des propagandes de Gauche : ils proclament faux que la très grande majorité des esclaves noirs aient été satisfaits de leur sort et même aimaient leurs maîtres. Ce que cependant ils ont montré au moment de la guerre de Sécession. La vérité officielle, c'est que la seule relation était le fouet, les esclaves étaient tous terrorisés, les marrons étaient innombrables, les chiens dévorants régnaient partout, et Tyler avec sa

aussi du monde technicien. L'esclave heureux. Le bonheur par le bien-être comme loi suprême. Invention bourgeoise récupérée par la Gauche. Mais trahison suprême de cette quête du graal qui a caractérisé l'Occident. Jamais satisfait. Le regard toujours fixé sur un horizon incertain, l'appel du jamais encore dit, jamais encore fait, l'insatiable soif d'un au-delà, d'un tout autre. Comme nous sommes tombés! Comme nous sommes dénaturés! Et si la Gauche a porté à son comble l'exploitation de l'homme, elle a fait de même pour le Nationalisme, qu'elle a répandu sur le monde avec une folie inconsciente. Stratégie, stratégie... Mais on ne peut tout prévoir, et pour cette fois la stratégie a été dépassée par ses résultats! Nul n'a tenu compte du délire qu'engendre le nationalisme et ce fut la pire invention de l'Occident. La Gauche allégrement en a repris la musique. Le monde entier est devenu nationaliste grâce à elle. Où donc est l'Universalisme que visait l'Occident et si heureusement repris par l'Internationalisme de 1850 à 1900. Misère de cette Gauche qui a répudié ses propres trouvailles pour s'inscrire dans la plus triste conformisation et pour choisir toutes les voies de la facilité. Pourtant la Gauche défend la liberté? Qui, aujourd'hui, plaide pour la liberté des lycéens, pour la Femme, le F.A.H.R. et la liberté sexuelle, contre la censure? Je crois qu'ici encore, il faut bien considérer les faits. Encore une fois, tout est subordonné à la stratégie : tant qu'elle n'est pas au pouvoir, la Gauche soutient tous les mouvements qui peuvent ruiner la société bourgeoise, au niveau le plus superficiel, elle cherche les occasions qui peuvent mettre le gouvernement en difficulté. Au niveau plus profond, elle vise l'anomie sociale comme l'état le plus favorable

poignée d'hommes est représentatif de tous les esclaves. Mais tout cela est pure imagination qui doit orthodoxement coïncider avec ce que les intellectuels de gauche croient aujourd'hui être la dialectique historique!

à ses entreprises. Mais, toujours et immanquablement, aussitôt au pouvoir, la Gauche crée la Dictature de l'Ordre moral. Ainsi en U.R.S.S., à Cuba, en Chine. Plus question de liberté de la femme : au travail forcé comme tout le monde. Plus question d'absence de censure. Plus question de liberté sexuelle. Plus question d'homosexualité, etc. La plus stricte morale destinée à vouer l'homme à la production et à l'obéissance totale, inconditionnée, commence à régner. Je connais, bien sûr, le discours justificatif : il s'agit de l'ordre socialiste, puisqu'on est dans une société socialiste, on a par le fait même toutes les libertés; on n'a donc plus besoin d'en réclamer aucune, etc. Il s'agit là seulement d'un discours sans aucun fondement réel et à base mystique. En réalité, accédant au pouvoir, la Gauche révèle son masque d'autoritarisme absolu et nous fait revenir aux plus sombres époques de l'histoire dont l'Occident s'arrachait difficilement[1]. Mais on est obligé devant la réalité de faits si énormes, de se demander comment cette mutation a pu se produire? Comment en un plomb vil l'or pur s'est-il changé? Je crois qu'il y a une épreuve que la Gauche n'a pu surmonter : celle du pouvoir et que *tout* a dérivé de là. J'ai montré que la trahison envers les pauvres, dont a dérivé

---

1. Je dois encore répéter pour que tout soit clair que ce procès de la Gauche n'a lieu que dans la mesure où elle a été pour moi le seul héritier légitime de l'Occident, où elle a porté l'avenir du monde. Il ne s'agit en aucune mesure d'une réhabilitation de la droite ni d'un plaidoyer pour elle : une fois encore je redirai que la droite n'existe pas à mes yeux, qu'elle n'a ni avenir, ni légitimité, ni même existence. Je n'ai aucun point commun avec la droite et si des hommes de droite tiennent un discours semblable au mien, c'est un malentendu. Je sais bien que, dans le conformisme simpliste de la Gauche on dira « puisque vous critiquez la Gauche, vous êtes donc de Droite » ou encore « en parlant ainsi vous donnez des armes à la Droite ». Cela se situe au niveau de la pensée des enfants de chœur. En réalité, le drame pour moi, c'est que la Gauche ayant trahi, après elle, il n'y a plus *rien*. L'histoire de l'Occident est finie.

la série des reniements et des perversions était liée à la savante élaboration de la tactique et de la stratégie. Mais celles-ci n'étaient inventées, organisées que pour la conquête du pouvoir. C'est donc, déjà, le pouvoir politique en tant que volonté et représentation qui était à l'origine de la trahison, avant même d'être exercé. Et combien pire la situation lorsque la Gauche est arrivée au pouvoir. C'est ce moment qui produisit la cassure. Le pouvoir a révélé l'insuffisance spirituelle, morale, psychique, doctrinale, intellectuelle, théorique, éthique, humaine en tous les sens, de la gauche et des hommes qui la représentaient!

Le pouvoir avait ruiné le christianisme. Il avait fait éclater l'hypocrisie des bonnes intentions du libéralisme. Il a joué le même rôle pour la Gauche. L'Occident qui a porté le pouvoir à son sommet d'importance, d'efficacité en même temps que d'abstraction a ainsi créé la structure de sa propre négation, de sa propre condamnation. C'est cela, bien au-delà du drame singulier de la Gauche, qui s'est révélé depuis un demi-siècle. Or, l'impardonnable, c'est que l'avertissement avait été donné dès les origines, lorsque Jésus-Christ avait choisi la voie du non-pouvoir, de la non-puissance, de la non-domination (y compris politique). L'impardonnable, c'est que la Gauche semblait avoir compris en optant pour les pauvres. S'inscrire du côté des exclus, des perdus, des abandonnés, des exploités, des aliénés, c'était le bon chemin pour sauver l'Occident et pour retrouver la vérité de *tout* ce qui avait été progressivement découvert dans la plus grande aventure de l'homme. Mais il ne fallait pas traduire cela par « les pauvres au pouvoir » ni la Dictature du Prolétariat ni l'identification du Pauvre à Dieu [1]. Aussitôt que ce retournement est effectué, toutes

---

1. Encore une précision : en écrivant ceci je ne veux pas dire, évidemment, que les pauvres doivent rester sous la domination, la dictature et la violence des autres! Mais que le pauvre devrait être la négation vivante de tout pouvoir. Il ne s'agit pas de remplacer la

les autres trahisons suivent. Et elles ont suivi. La partie a
été jouée. Elle est perdue, irrémédiablement, et avec l'Occident, les pauvres aussi.

La Gauche est incapable de reprendre le chemin révolutionnaire de l'Occident. Car enfin, il ne faudrait pas s'y
tromper, l'Occident s'est fait parce qu'à chaque découverte
fondamentale, de la liberté, de la raison, de l'individu, a
correspondu une révolution. Mais une révolution nouvelle.
J'ai longuement expliqué ailleurs pourquoi en notre temps
et semble-t-il dorénavant, la révolution n'est plus possible [1].
J'ajouterai, sans rien répéter, deux aspects que j'avais dans
une certaine mesure laissés de côté, mais qui entrent directement dans notre critique de la Gauche actuelle, son impuissance et son inconséquence par rapport à la culture de
l'Occident. Chaque fois la révolution s'est effectuée au
niveau de l'aliénation réelle de l'homme — c'est là où résidait cette aliénation que se trouvait le détonateur, et c'est
en fonction d'elle que le mouvement révolutionnaire se
produisait. Or, depuis deux cent cinquante ans, on assiste
à un approfondissement de l'aliénation en même temps
qu'à une abstraction grandissante de ce qui aliène l'homme.
Je veux dire par là que les aliénations peuvent être purement extérieures (par exemple le prisonnier qui est en prison)
ou purement intérieures et à un niveau totalement inconscient (par exemple l'automobiliste ou l'utilisateur de T.V.

domination d'une classe par celle d'une autre, mais de récuser, et
à la limite de détruire, toute domination. Il ne s'agit pas de rendre
le pauvre riche, mais de tuer la richesse, comme l'Etat, comme l'organisation. Amener le pauvre au pouvoir c'est seulement révéler son
incapacité à exercer ce pouvoir pour la liberté et pour la vérité. Car
aucun pouvoir de quelque ordre qu'il soit ne peut aller dans ce sens.

1. *Autopsie de la Révolution*, Calmann-Lévy, 1970, *De la Révolution aux révoltes*, Calmann-Lévy, 1972.

totalement aliéné par son engin en croyant être libre et maître de l'engin) en passant par tous les stades, une aliénation extérieure intériorisée, ou une aliénation volontaire dans une autre personne ou un produit, ou une aliénation qui prend l'aspect d'une libération mais produit un asservissement, ou une aliénation psychique volontairement créée de l'extérieur, ou une aliénation dans des conditions de vie déshumanisantes, ou une aliénation par le dépouillement de l'œuvre que l'on produit, ou une aliénation par rupture de la personnalité du fait des conditions extérieures. Et cela se nommera torture, publicité, propagande, drogue, consommation, capitalisme, grande ville, etc. Mais en ceci nous parlons de cas individualisés. Dans chaque société, il y a un type d'aliénation qui est plus commun, plus courant, plus général, qui affecte tous les hommes d'une société. Et l'Occident a produit ses propres conditions pathologiques — c'est-à-dire qu'en face des affirmations qui nous semblent vraiment jalonner l'essentiel de notre culture, il y a eu la création de négations de contreparties aliénantes. Plus notre civilisation évoluait, plus les facteurs d'aliénation sont devenus complexes, et surtout abstraits. On est ainsi parti d'aliénations très visibles, évidentes, ressenties directement (la police est un facteur d'aliénation évident, et au travers d'elle on ressent l'aliénation par le pouvoir de l'Etat). La cause de l'aliénation est donc assez facilement discernable, elle correspond en effet à une expérimentation immédiate et sensible — à ce moment-là, de toute évidence les Révoltes contre ce facteur oppressif, aliénant, qui est clair, se confond avec la révolution, puisque la révolte permet de détruire directement ce que l'on éprouve comme étant l'obstacle à la réalisation de soi, et ce que l'on éprouve est en effet l'obstacle réel, le facteur véritable d'aliénation : donc le détruire, c'est faire une révolution. Celle-ci est alors directement implantée dans l'action de la révolte même. Mais au fur et à mesure de l'évolution de ces trois derniers siècles, l'aliénation s'est approfondie, elle est devenue de plus en plus difficile à supporter, mais les facteurs d'aliénation sont plus complexes, plus lointains, et ne sont pas directement ressentis comme tels — c'est-à-dire que d'un côté il y a l'expression vécue de l'aliénation, mais que l'on ne sait plus à quoi rapporter — de l'autre côté, il y a des mécanismes généraux qui produisent effectivement l'aliénation, mais que l'on ne ressent pas du tout en tant que tels : c'est seulement par une opération intellectuelle que l'on peut arriver à les discerner, à comprendre de quoi il s'agit. Mais cette opération intellectuelle ne s'enracine pas dans une révolte, elle ne peut au contraire s'effectuer que dans l'exercice froid et lucide de la raison. A ce moment la Révolution n'a pratiquement plus rien à faire avec la Révolte. Et la révolte qui explose toujours passe toujours à côté de l'objectif réel qu'elle est incapable de discerner, cependant que la Révolution devrait être faite par ceux qui ont la lucidité pour discerner cette cause d'aliénation, mais ils ne sont pas eux-mêmes des révoltés, ils n'ont pas la puissance du mouvement, et les masses n'ont aucune raison de les suivre, après leur lente démonstration intellectuelle des mécanismes d'aliénation. Pour prendre les trois grandes étapes de ce double processus, nous pouvons dire qu'au xviiie siècle, l'aliénation est d'abord politique, au xixe siècle, elle est économique, au xxe siècle elle est technicienne. Au xviiie siècle, l'aliénation est le fait de la croissance du pouvoir politique, de l'élimination progressive des libertés locales et individuelles, de la centralisation, de l'intervention du pouvoir dans un nombre croissant de domaines, de l'insaisissabilité de ce pouvoir central par les habitants, de l'encadrement par des administrations, de l'aggravation des charges pesant sur une majorité : Mousnier a cent fois raison en ramenant la plupart des révoltes et révolutions des xviie et xviiie siècles à cette cause politique. Ceux qui font la révolution contre le « tyran » ne se trompent pas d'objectif. Seulement le tyran n'était pas ce pauvre Louis XVI, c'était l'Etat dont il figurait la représentation. Le tyran était à la fois un homme et un pouvoir discernable. La révolution était facile à faire contre Hitler : on savait qui il fallait tuer. Mais l'ambiguïté résidait déjà dans la confusion entre une survivance et la réalité nouvelle. Celle-ci était l'Etat, déjà abstrait, et en lui-même oppressif : la survivance était le Tyran, l'image de l'individu qui agissait par pure volonté, et qui en tant que tel créait le malheur et l'injustice. Dès lors sans voir le nouvel organisme, la révolte s'adressant à l'ancienne image effectuait une révolution en tuant le tyran, car le problème était bien celui de l'aliénation politique. Mais la révolution échouait en permettant la naissance de l'appareil étatique. Le tyran éliminé, subsistait un pouvoir beaucoup plus aliénant qu'il ne l'avait été autrefois. Cependant l'exactitude du diagnostic portait sur le fait que réellement tout aurait pu se résoudre en un changement d'institutions. Mais l'on aperçoit déjà la difficulté de faire une révolution contre une structure abstraite. Au XIX⁰ siècle les mécanismes de l'aliénation ont considérablement changé : l'essentiel de l'aliénation est économique. Elle provient de l'organisation capitaliste, elle est provoquée par la nécessité de produire du profit et par l'ensemble des mécanismes pour fabriquer un profit maximal. On s'aperçoit qu'alors ici le problème est encore beaucoup plus abstrait. Ce n'est plus le vilain capitaliste qui est en cause. Nous ne sommes plus en présence d'une opposition contre le « prêteur d'argent », ou le « propriétaire », personnalités immédiatement connues et créatrices de misère : tant qu'on en reste là, on ne change rien au mécanisme général de l'aliénation économique — assassiner son propriétaire, ce n'est pas faire la révolution. Marx a magnifiquement démontré l'abstraction du système de l'aliénation économique. Mais quand il s'agit de passer à la révolution, on rencontre trois difficultés : la première, c'est évidemment la survie de l'image ancienne :

on continue en 1850 à considérer que la Révolution ne peut être que le prolongement et la continuation de celle de 1789. Donc contre le tyran politique. J'ai analysé cela dans l'*Autopsie de la Révolution*.

La seconde difficulté tient à l'écart croissant entre le sentiment de révolte (on est misérable) et l'objectif abstrait de la Révolution. Il devient très difficile sinon impossible de mettre en corrélation les deux. Et la troisième difficulté tient à l'élaboration d'une stratégie à long terme, elle-même abstraite puisque les pouvoirs économiques provoquant l'aliénation sont abstraits, en vue d'arriver à un changement de la structure économique. En réalité, les innombrables problèmes tournant autour de la stratégie, de la tactique, des organes de la Révolution [1] (et tout particulièrement le rôle du P.C., son organisation, sa relation avec le prolétariat, etc.) sont directement le résultat de ces trois difficultés. Or, de même que l'aliénation économique a paru alors que les oppressions politiques étaient toujours ressenties et faisaient l'objet du maximum de l'attention révolutionnaire, de même aujourd'hui, l'aliénation par les structures économiques subsiste alors que le principal du phénomène de l'aliénation se situe déjà ailleurs. En effet au XXe siècle, l'aliénation n'est plus d'abord essentiellement économique, elle résulte de la croissance du système technicien. On a dépassé le stade capitaliste. Mais bien entendu, il y a un cumul des aliénations, provenant de l'interprétation des systèmes : au XIXe siècle l'aliénation politique subsiste mais elle est englobée, dominée, restructurée par le mécanisme de l'aliénation économique, c'est en tant qu'Etat capitaliste bourgeois qu'il subsiste comme facteur d'aliénation.

1. Et c'est pourquoi avec un schéma révolutionnaire qui colle au réel abstrait, on est obligé d'utiliser des images simplistes, le capitaliste au cigare entre les dents, correspondant à des sentiments primaires de révolte mais qui altèrent complètement l'action révolutionnaire.

Actuellement l'aliénation politique et économique subsiste mais elle est englobée, remodelée, réitérée par l'aliénation technicienne. La Technique a complètement pénétré la structure de l'Etat et celle de l'Economie et c'est en tant qu'Etat technicien, qu'Economie technicienne qu'ils subsistent comme facteur d'aliénation.

La Technique est le facteur d'asservissement de l'homme. Bien entendu pas seulement cela! Elle pourrait être hypothétiquement son facteur de libération. Mais exactement aussi bien que l'Etat pouvait être hypothétiquement son facteur de *sécurité* et de *justice,* aussi bien que l'Economie capitaliste pouvait être hypothétiquement son facteur de bonheur et de satisfaction des besoins. Mais cela était le possible. Le réel fut l'aliénation. De même pour la Technique. Or, l'homme éprouve la dépossession de lui-même. Mais ce n'est plus du tout le même phénomène que lorsqu'il était opprimé de l'extérieur par une puissance matérielle visible. La société économique décrite par Marx était plus complexe que la société politique décrite par Montesquieu. Et, la société technique est incomparablement plus complexe que la société économique du XIXe siècle, les facteurs d'aliénation, les mécanismes de celle-ci sont devenus totalement abstraits. L'homme qui ressent l'aliénation est incapable de montrer du doigt qui la provoque parce que les facteurs sont légion, et parce que les ravages sont infiniment subtils. Et quand on arrive à mettre un nom sur un facteur d'aliénation, on dit « consommation » ou « spectacle », mais c'est en réalité un symbole — car la consommation n'existe pas en soi. Et de plus c'est un symbole qui ne parle pas aux peuples. Il faut un long cheminement intellectuel pour comprendre en quoi la consommation est aliénante. Ils n'ont pas tort ceux qui répondent brutalement : « Ne dites pas aux pauvres qui ne peuvent pas consommer que la Consommation est une aliénation! » Il n'y a aucune appréhension directe, aucune expérience (sinon très élaborée) de ces faits. Mais,

cette aliénation est beaucoup plus profonde que les précé-
dentes (et ceci est justement lié à son caractère abstrait!).
L'aliénation par les mécanismes économiques était plus
profonde que l'aliénation par le pouvoir du tyran. Et c'est
pourquoi Marx avait dû construire une philosophie générale
de l'Histoire, du Monde et de l'homme — or, actuellement
on a poursuivi ce chemin d'approfondissement.

L'aliénation n'est plus la dépossession de la Valeur produite, mais elle consiste en un éclatement de la personnalité,
une dispersion des besoins et des capacités, une réduction
(au sens sociologique) de la personne, une schizophrénie,
une dérivation des besoins, une disparition du centre autonome de décision. C'est au niveau le plus profond de
l'homme que se situe maintenant l'aliénation, donc la révolution. Une révolution changeant les structures économiques
ou politiques, une révolution détruisant un groupe d'hommes,
des ennemis, des oppresseurs ne sont plus du tout adéquates.
Elles restent en dehors du champ actuel de l'aliénation. Mais
ceux qui pensent et veulent faire cette révolution restent
obsédés par les images d'hier et d'avant-hier, et continuent
à croire que c'est le problème de l'Etat *bourgeois* et de
l'économie *capitaliste* qui est en cause, alors qu'on a changé
d'*échelle*! La révolution actuelle, puisque c'est l'homme en
tant qu'individualité qui est attaqué, mis en pièces, doit se
situer au niveau de l'homme lui-même et non plus des structures. C'est un retournement idéologique, diront les uns,
mais bien plus profond en réalité, avec la redécouverte pour
tous d'un facteur nouveau, à la fois individuel et collectif —
ce qu'a vu très obscurément (et, je crois, en faisant radicalement fausse route!) G. Morin avec le Paradigme humain,
ce qui est exprimé avec plus de bonheur, par G. Friedmann
lorsqu'il fait appel à la Sagesse, Jouvenel lorsqu'il avance
l'Amenité, Illich, avec la Convivialité, Richta avec la « capacité créatrice » ou moi-même avec l'Individualité. Mais tout
cela est *en apparence* ancien, retour à des vertus morales

ou à des concepts dépassés : alors qu'*en réalité* c'est exactement à ce niveau que se situe le problème. Et la seule révolution possible est justement celle qui se situera là, incluant par conséquent le refus radical de toutes les idéologies destructrices de l'individu, et du sujet, ainsi que les méthodes qui se prétendent objectives en sciences humaines, comme le structuralisme et la néo-linguistique mais qui sont soustendues par cette idéologie, et de même le refus radical non de la Technique en elle-même mais de l'idéologie de la Technique. Or, il ne m'apparaît pas que la Gauche s'engage si peu que ce soit dans ce chemin [1]. Bien au contraire. Et cela d'autant plus que cette Gauche est composite, amalgamée, faite de pièces et de morceaux.

Et cela nous amène à une seconde réflexion au sujet de la révolution. Si on analyse les révolutions effectives qui ont eu lieu, on s'aperçoit qu'elles ont toujours comporté une cohérence à partir de ce que l'on peut appeler un « point de force ». Chaque grand mouvement révolutionnaire a eu ce « point de force » constitué par la combinaison entre une valeur (crue par une très grande partie de la population) et un groupe social exerçant déjà un rôle indispensable dans la société. La révolution va consister dans la volonté de ce groupe social d'organiser l'ensemble de la société en fonction de cette valeur. Le groupe était cohérent et c'est sa cohérence qui donnait pouvait-on dire une unité au mouvement de la révolution. Ainsi qu'une cohérence interprétative de tous les phénomènes ce qui aboutissait à une sorte de mutation du mythe social en vigueur. C'est ce complexe qui me paraît avoir été indispensable pour qu'un mouvement révolutionnaire puisse exister. Ainsi on peut dire que le point de force au XVIIIᵉ siècle a été la conjonction entre la valeur de liberté et la bourgeoisie — de même au

1. Il est admirable qu'en cette rentrée de 1975, la gauche française se proclame pour la société de consommation!

xixe siècle entre la justice et le prolétariat. Dans ces conditions la valeur n'est ni une justification idéologique ni une
superstructure : c'est elle qui donne au groupe révolutionnaire la motivation suffisante pour transformer un groupe
quelconque en force révolutionnaire. Marx a eu tort de
croire que ceci pouvait s'effectuer par le seul processus du
passage de l'en soi au pour soi, par la prise de conscience
de sa propre condition, par la démonstration intellectuelle et
par le jeu objectif d'un ensemble de forces et de rapports.
La valeur est ce qui constitue le point de force quand elle
est assimilée à et par un groupe qui s'identifie à elle. Or,
actuellement, il n'y a plus aucune valeur assumée spécifiquement par un groupe cohérent. Les vieilles valeurs sont
évidemment incapables de soulever qui que ce soit. Elles ne
sont plus crues. Il n'y a plus aucune doctrine interprétative
globale, il n'y a aucune valeur positive assumée, il n'y a que
des agitations spasmodiques en fonction de telle croyance
sans lendemain et sans contenu acceptable. Quant aux
groupes ils se font et se défont parce qu'ils n'exercent aucune
fonction sociale indispensable, et parce qu'ils n'ont plus
aucune cohérence interne. Ce que l'on propose comme
groupe révolutionnaire, qu'il s'agisse du tiers monde ou des
Noirs américains, des « jeunes » ou des travailleurs immigrés ne présente aucun caractère révolutionnaire, et ne peut
que produire des explosions incohérentes de révolte et de
violence sans aucune issue révolutionnaire. Quant à la
récréation de l'individu, que j'essayais de montrer comme
la valeur nécessaire, il n'est strictement aucun groupe social
qui la prenne en charge, et n'y adhèrent que quelques intellectuels libéraux et des réactionnaires retrouvant là un langage qu'ils croient familier. La Gauche non seulement ne
se trouve en rien dans une situation révolutionnaire, mais
bien plus elle n'a rien compris à tout ce que je viens d'ana-
lyser. Elle continue à tenir un discours sans aucune référence à la réalité, elle ressasse les mêmes formules et recom-

mence indéfiniment socialisation, lutte des classes, natio-
nalisation, égalisation des revenus, etc., sans se rendre
compte que nous ne sommes plus en 1880 et que si tout
cela a eu sa signification et devrait être bien sûr réalisé,
ce n'est plus, si peu que ce soit la réponse à notre situation
actuelle.

Il est vrai que la Gauche ne prétend plus le moins du
monde être révolutionnaire. Elle a enterré la révolution, et
s'apprête paisiblement à occuper le pouvoir pour continuer.
Mais il faut aller plus loin. Non seulement elle n'est plus
révolutionnaire, mais elle occupe maintenant un rôle tout à
fait précis : sa fonction dans la société moderne est de bloquer la révolution. La Gauche des radicaux jusqu'au P.C.,
P.S.U. compris, a reçu délégation tacite du corps social
entier pour que la révolution ne puisse pas avoir lieu. Les
meilleurs gardiens de l'establishment ce sont les partis de
Gauche et les syndicats. Pensez donc, si ces partis arrivent
au pouvoir ce ne peut être que grâce au jeu des institutions
mêmes! Comment ne les garderait-on pas avec le plus grand
soin. Bien entendu, je ne dis pas qu'il y a une connivence
explicite, et une formulation claire de ce rôle. Les bourgeois font toujours semblant d'avoir très peur du P.C. Mais
combien il est rassurant ce brave P.C.! Il ne fait plus peur à
personne, et la bourgeoisie sait très bien que l'on pourra
dorénavant s'entendre avec lui. Il faut seulement avoir l'air
d'avoir peur pour que l'idée de son opposition et de sa révolution soit « crédible », c'est-à-dire pour que les forces de
révolte qui existent dans la société puissent être fixées, cata-
lysées, bloquées sur le P.C. et de ce fait ne s'exercent pas
en tant que forces de révolte, ailleurs, sur un autre point et
de façon incontrôlable. La Gauche est le grand paraton-
nerre antirévolutionnaire. Et lorsque dans sa campagne élec-

torale Mitterrand a usé de tous les arguments pour rassurer
le bourgeois, ce n'était pas du tout de la tactique et de l'hypocrisie : il disait parfaitement vrai. Le caractère antirévolutionnaire de la Gauche me paraît surtout résulter des deux
éléments que nous avons déjà rencontrés, son incapacité à
discerner les problèmes fondamentaux de notre société
actuelle et sa démagogie. L'analyse politique de la Gauche
est totalement dépassée, elle est sans signification par rapport
à la structure effective, sociale et technique de notre société.
Et cela résulte non pas tant d'une incapacité à constater ce
qui se passe, que d'une lecture effectuée au travers d'une
grille interprétative inadéquate. Si en présence d'un texte
brouillé vous n'utilisez pas la grille en fonction de qui le
texte a été composé vous ne le lirez jamais.

Or, l'erreur de la Gauche n'est pas seulement affaire
intellectuelle : elle a en effet une large clientèle, et lorsqu'elle
fait une analyse fausse, elle induit dans cette orientation
tous ceux qui la suivent. Mais quand on fixe quelqu'un sur
un faux problème, on polarise ses forces et son attention,
son imagination, on l'empêche dès lors de voir le problème
à côté, et d'essayer de le résoudre. Le rôle de la Gauche
c'est, du fait de son discours révolutionnaire, de sa prétention à prendre le pouvoir, de son affirmation cent fois
répétée que tout étant politique, l'essentiel est que la Gauche
accède à la Présidence de la République, de fixer les forces
populaires sur ces questions, de les amener à croire, de
façon mythique que les causes des souffrances réelles seront
supprimées quand la Gauche sera au pouvoir, et de ce fait
de la détourner d'une recherche réelle au sujet de ces causes.
La Gauche empêche l'homme de voir avec les yeux dessillés,
grands ouverts et par soi-même, la situation telle qu'elle
est. Elle fait vivre le prolétariat dans un univers mythique
et sans référence au réel. Cela est d'autant plus possible
que, nous l'avons vu, les causes de l'aliénation sont plus
abstraites et de ce fait plus difficiles à discerner. Il est aisé

dans ces conditions de faire prendre des vessies pour des lanternes. Et la Gauche, dont la classe politique ne rêve que d'une chose c'est enfin d'exercer le pouvoir, joue ce rôle de montreur de marionnettes sur un théâtre truqué.

Et l'autre grand caractère antirévolutionnaire, c'est la démagogie. La Gauche est le lieu d'absorption de tous les lieux communs, de toutes les platitudes, de toutes les banalités, pourvu que cela serve à attirer la clientèle. Elle se prostitue avec une facilité déconcertante, prête à accepter les alliés de tous bords et l'argent de toute main. Or, cette attitude est évidemment celle qui peut faire réussir une campagne électorale mais elle est l'inverse de la révolution. Elle engage toutes les forces, tous les groupes qui seraient susceptibles d'orienter vers la révolution, dans un amalgame où ils sont forcément stérilisés, récupérés, ils deviennent seulement la justification de ce qui est par ce qui ne se fera pas. Ces groupes intégrés par la Gauche dans un ensemble composite sous prétexte de tactique sont la devanture que l'on montre pour attester une réalité qui n'existe plus mais à laquelle le discours continue à se référer. Ainsi la Gauche est effectivement la contre-révolution.

Mais pourquoi donc, au sujet de l'Occident, reprendre ces questions de révolution que j'ai traitées ailleurs? Parce qu'en fait nous sommes ici en présence de l'une des caractéristiques de cet Occident. Celui-ci a toujours procédé par la voie révolutionnaire. Il y était porté par la contradiction profonde que nous avons essayé de déceler, et les forces qu'il avait déchaînées, la sécularisation ou l'avènement de l'individu, ne pouvaient finalement s'exprimer que de cette façon. Tout le mouvement du monde occidental implique la révolution. Et il est le seul à l'avoir ainsi vécue en profondeur, en permanence. Avec l'Occident nous sommes passés des assassinats des souverains qui ont eu lieu partout, et des explosions de colère populaire à une forme beaucoup plus radicale et unique de mise en question de

la société. Personne au monde, ni en Afrique, ni en Asie,
ni en Amérique n'a inventé la révolution. Il ne faut pas
oublier que les trois grands mouvements révolutionnaires
de Chine depuis le XIXe siècle sont directement inspirés par
l'Occident. Et l'on peut en effet faire la comparaison entre
les innombrables émeutes populaires chinoises depuis 300
avant J.-C. jusqu'au XIXe siècle, ou bien les renversements
de dynastie provoqués par les invasions et les intrigues de
Palais, avec les révolutions du XIXe : on s'aperçoit que l'on
change réellement de plan. Les révolutions chinoises sont
du modèle occidental. Et seul l'Occident s'est engagé dans
cette périlleuse voie — c'est pourquoi la Gauche me paraît
tragiquement stérile. Elle trahit aujourd'hui le legs du monde
occidental. Elle trahit l'invention de l'homme et de la liberté.
La seule révolution acceptable serait aujourd'hui et en fonction de la situation nouvelle, une reprise inlassable de ce
que l'Occident a découvert dans sa pratique et dans son
projet, et qu'il a tenté de formuler en théorie. La Gauche
si elle jouait son rôle ne pourrait être que celle de la qualité
de la vie, de la liberté, de l'individu. Or, personne d'autre
qu'elle ne peut reprendre ce mouvement. Ici est le tragique.
Tous ceux qui aujourd'hui prétendent s'inspirer de l'Occident sont les négateurs de ce que l'Occident a porté au
monde. Toute la Droite, tout le conservatisme : ce n'est plus
possible. Mais quand la Gauche trahit au point où nous en
sommes aujourd'hui, alors il ne semble plus possible que
cette histoire continue. Car il n'y a plus d'histoire du tout.
La reprise du mouvement de l'histoire ne peut se situer que
dans une contestation radicale de l'Etat (de la politique et
du parti!), et de la Technique, inventions de l'Occident,
mais c'est suivre le chemin même de cette découverte que de
s'engager dans ce procès dialectique, de la négation de chacune de ses affirmations, de chacune de ses découvertes.
Cela aussi l'Occident l'a apporté au monde. Une Gauche de
nouveau orientée par les grandes lignes de force de la pensée

occidentale, et je dis bien *d'elle seule*! c'est la condition pour que l'histoire reprenne son cours, et que par là même, les peuples du tiers monde retrouvent leur identité : c'est une parfaite illusion de croire qu'ils ont pris une quelconque autonomie, qu'ils portent l'avenir, que le centre de l'histoire s'est déplacé vers eux. Je ne nie nullement leur importance, je ne cède nullement à un européocentrisme simpliste. Je dis simplement que l'avenir de l'homme et de l'humanité se joue toujours et encore dans cet Occident maudit. Le reste est du domaine de la bonne volonté sympathique mais parfaitement inconsciente de la partie qui se joue. Il faudrait pour la mener, réinventer une Gauche capable de cette raison, de cet individu, de cette liberté qui lui font aujourd'hui si cruellement défaut. Mais la Gauche n'existera en vérité, l'Occident ne reprendra son histoire, que si elle abandonne le « Marx-Isme », totalement dévoyé, dégénéré, depuis la mort de Marx (jusqu'à Althusser et Mao compris) par tous ceux qui s'en sont parés, l'ont utilisé, en ont fait un instrument, un appareil, une machine, une utopie, une philosophie, une pseudo-science, l'acrostiche géant de nos mensonges modernes. Le blocage de l'Occident, et par là même du monde moderne, ne vient pas de Marx mais de la manipulation de son œuvre, de la persuasion facile qu'il a dit le dernier mot. Ce dernier mot personne ne l'a dit. Nous avons à poursuivre l'histoire, mais elle n'a qu'un seul sens possible désormais pour suivre ce qui fut le rêve et la création du monde occidental.

Il ne reste qu'un infime lumignon dans cette obscurité répandue sur le monde par la trahison de la Gauche, qui est mort de l'Occident, une infime protestation. Au sens étymologique : le témoignage clamé à la face de... précisément par ceux qui se veulent contestataires, toujours au sens étymologique : le témoignage porté ensemble... Une seule main

qui relève l'héritage du monde occidental. Et si les contestataires en étaient conscients, ils récuseraient cette interprétation, eux qui clament leur dégoût pour tout ce qui est occidental! Mais c'est qu'ils ne le connaissent pas, ce trésor
magnifique. Seuls, aujourd'hui, certains parmi les gauchistes,
les authentiques. Mais quelle ironie!

Les gauchistes sont les seuls qui osent reprendre la proclamation, en se trompant certes souvent, d'*exigences* essen-
tielles (je ne dis nullement que leurs rigueurs, leurs explications soient adéquates!). Ils ont osé reparler de la liberté
alors que ce mot était banni du vocabulaire de Gauche
parce que confondu avec libéralisme bourgeois, et contraire
à l'égalité! Ils ont osé reparler de l'exigence de l'homme.
Ce qui était exclu depuis que les scientifiques ont démontré
que l'homme n'existe pas... Ils se sont livrés à une critique
totale, fondamentale... et ce faisant, ils ont effectivement
repris le chemin de la création, de l'invention de l'Occident. Même quand ils croient être les représentants de
l'Orient et de ses yogas et contemplations intérieures. Mais
assurément, quand on retrouve ce fondamental, les plus
grandes divergences éclatent au grand jour. Et certains gauchistes veulent poursuivre le chemin de la raison (les trots-
kystes, les anarchistes) alors que les autres sont lancés dans
l'irrationnel. Mais l'important n'est pas que les *idées* soient
confuses et difficiles — et impossibles à théoriser objectivement; l'important est que les gauchistes ne théorisent pas :
ils vivent, ils veulent vivre ce qu'ils proclament — et c'est
à cause de cela qu'il y a des divisions et des pinaillages,
d'autant plus que malgré des idées communautaires, ils sont
franchement individualistes. On peut se mettre d'accord
sur des doctrines, combien plus difficile sur l'incarnation
vécue de ces grandes tendances mais ils entrent alors exactement dans la démarche qui fut dès l'origine celle de l'Occident, ils sont eux maintenant les porteurs de la mauvaise
conscience, de l'autocritique et de la quête absolue. Je sais

qu'en affirmant cela, je ferai frémir de colère beaucoup d'entre eux, mais c'est qu'ils ne savent pas quelle a été la vérité profonde de la culture qui leur a été léguée. Les gauchistes sont la nouvelle étape de notre propre culture. Mais ils ne sont pas la Gauche! Que non! Ils en sont les laissés-pour-compte!

CHAPITRE III

La trahison de l'Occident

L'OCCIDENT est trahi. Ceux qu'il a conquis et converti à lui-même ont retourné contre lui ses propres armes. L'Occident s'est trahi. Ses propres enfants le couvrent de sarcasmes et d'insultes, plus personne, s'il veut encore se reconnaître Européen, ne peut plus tolérer de porter la charge de l'Occident. Mais il s'est trahi lui-même, et ce qui se passe aujourd'hui est en effet le fruit d'un très long processus, où tout s'est retourné — où chaque conquête a été durement payée; pour être ensuite inversée. Nous avons dit incidemment que le langage raisonnable avait produit la perte irréparable du mythe, de la capacité créatrice, évocatrice... lourde rançon. Mais le pire fut, au fil du progrès, de voir l'impossibilité de rester où l'Occident avait créé sa propre grandeur. Tout fut inversé, dans un certain mouvement. Tout fut porté au paroxysme, alors qu'il eut fallu, au contraire, la plus grande maîtrise, la plus grande discrétion. La liberté découverte produisit l'esclavage des autres peuples, et en Occident même celui des travailleurs : effroyable malédiction. La liberté provoquant non seulement des crimes mais son contraire — si bien que l'on ne pouvait plus, en rien, la prendre au sérieux, on ne pouvait plus la considérer que comme un mensonge, une illusion, une hypocrite déclaration de principe; permettant le déchaînement des plus forts. Un exemple d'inversion. La Raison s'est traduite dans un rationalisme borné, en prétendant la pousser jusqu'au bout — c'est-à-dire en faire un paroxysme. Etrange retournement ici encore. La raison faite de mesure engendrait la démesure d'une raison dévorante, exclusive, autoritaire, hargneuse, inquisitoriale. La raison faite de clarté plongeant dans la confusion des croyances primaires avec le scientisme. Paroxysme au lieu de mesure. Comme une malédiction secrète, tout ce que l'Occident a déclenché, inventé, tout a été détourné de ce qu'il devait être. Nous sommes bien au-delà des conflits de classe et des interprétations sociologiques. L'Occident avait visé trop haut. Trop haut dans la perfection, il atteignit la puissance. Tel est son drame final.

La trahison de la raison et de l'histoire : L'utopiste, géomètre et technicien

La raison inventée par l'Occident a donc été trahie. Et nous pouvons mesurer trois degrés. Nous parcourrons rapidement les deux premiers parce qu'ils sont bien connus. La raison a engendré la rationalité. Ratio, en latin, c'était la mesure. La Rationalité fut l'orgueil d'une mensuration uni-

Note sur l'Utopie : On cite toujours le livre de Mannheim comme étant l'un des premiers à avoir posé le problème de l'Utopie : il faut quand même rappeler que c'est Mumford qui le premier a écrit une admirable histoire des Utopies en 1922! *The story of Utopias,* où il a parfaitement discerné tous les problèmes que l'on a depuis mis à jour.

verselle. Tout soumettre à la raison, tout faire entrer dans un cadre de rationalité, n'accepter aucune dérogation, aucun excès, aucune ombre. L'impondérable ou le non-mesurable ne devait plus exister. La raison qui était la mesure exacte de soi-même, le garde-fou contre les délires, est devenue l'origine d'un nouveau mode d'être, celui de la mensuration. Seul ce qui se pèse, se dénombre, se mesure existe. Mais comment ne pas voir que dans la simple formulation de ce mot « seul », est déjà incluse la contradiction de la raison. Car celle-ci était la mesure de la démesure de l'homme. Elle était le frein à son ubris, elle était la ligne droite correcte qui pouvait enfin être tracée. Elle était le compas, la carte et le sextant qui permettaient au capitaine de tracer la course exacte de son navire, mais elle n'était pas la négation du vent fou qui pousse le navire. Pour être elle-même, elle supposait au contraire que soit toujours en action la force souterraine qui donne l'être et l'intègre, la ressource d'où surgit le torrent des possibles. Au contraire dans l'exaltation de la découverte d'un si merveilleux instrument, l'homme a plongé dans l'extrême en niant ce qui le faisait vivre! Mais l'absolu de la rationalité s'accompagnait d'une autre déviation pire, le rationalisme. Ici nous sommes passés dans l'univers du mythe et des croyances. Mais chose étrange, le Dieu est devenu la Raison. Autrement dit on s'est mis à adorer ce qui était le destructeur normal (ou tout au moins la mise en question) des adorations. Le rationalisme fait de la raison ce en quoi l'on croit, ajoute une dimension mythique à ce qui est l'inverse du mythe. Mais comme toute pensée religieuse, le rationalisme devient incohérent, étroit, sectaire, borné. Rien de plus mesquin que les rationalistes du XIXᵉ siècle. La raison qui est ouverture et maîtrise de soi devient exclusion de l'autre et refus *a priori* de ce qui n'a pas un aspect rationnel. Inutile d'insister sur ces deux aspects si souvent dénoncés, si souvent mêlés à la critique de l'Occident. Par contre le troisième me paraît au contraire aujour-

d'hui, devoir retenir l'attention à cause du succès de l'uto-
pisme et des erreurs commises à son sujet [1].

L'utopie est présentée aujourd'hui soit comme un idéal
d'anarchisme, soit comme la réaction contre une pensée
rationaliste. Combien avons-nous lu de pages sur cet aspect
de rêve de l'Utopie, de romantisme d'un ailleurs qui n'existe
pas, sur l'incitation que l'utopie provoque en nous orientant
vers un imaginaire débridé. « Tout est possible en utopie
— on peut tout imaginer — on peut se lancer à corps perdu
dans les nuées, on en retirera le plus grand bien. Notre
pensée technicisée a grand besoin de ce bain de jouvence et
de cette folie raisonnée... Notre conformisme a besoin de
l'appel vigoureux de ce non-conformisme critique. A partir
d'Utopie c'est l'Angleterre que More dénonce. Aujourd'hui
où tout semble enfermé dans un discours technicien sans
faille nous devons précisément, nous livrer à cette incitation
qui nous permet d'en sortir... » Il n'y a pas de plus grande
illusion que ce discours, plus grande hypocrisie! Car l'utopie
n'a jamais été cela. Elle n'est pas une imagination débridée,
elle n'est pas un lieu neuf! Et jamais le discours, utopique
n'a pu aborder sur les rives de l'anarchie. Elle est tout au
contraire « la construction mathématique, logique et rigoureuse d'une cité parfaite soumise aux impératifs d'une pla-
nification absolue : qui a tout prévu d'avance et ne tolère
pas la moindre faille et la moindre remise en question —
synonyme de totalitarisme ». Cette définition de Laplantine
correspond à ce qu'a toujours été l'Utopie — car enfin, il
faut s'entendre — ou bien on parle de l'Utopie à partir de

1. J'ai déjà par ailleurs attaqué l'Utopie dans deux autres livres
mais en la prenant sous deux angles différents de celui que j'adopte
ici. L'Utopie en ce temps-ci me paraît en effet un des dangers idéologiques majeurs. Et parmi les livres nombreux consacrés à cette tenta-
tion, de Mannheim à Servier en passant par Lefebvre et Lapouge, je
me réfère ici tout particulièrement au livre excellent, passé inaperçu
de François Laplantine : *Les trois voix de l'imaginaire*, 1974.

toutes les créations historiques d'Utopies, depuis Platon jusqu'à Fourier et autres par exemple, et alors on n'y trouve strictement qu'une dictature absolutiste, scientifique, rationnelle, technicienne, la négation totale de l'individu et sa fusion dans l'ensemble social, la fermeture à tout ce qui est extérieur, etc. ou bien on ne se réfère pas à ces réalités historiques, et alors on part dans un discours fuligineux, qui permet de dire n'importe quoi au sujet de l'utopie, qui devient à ce moment un mot sans autre contenu que le verbalisme de l'auteur. Mais s'il n'y a aucune référence objective, je ne vois pas pourquoi dans ces conditions on emploie ce mot même d'utopie. Or, ce n'est pas par hasard si par exemple Lefebvre s'y attache. Le mécanisme qui conduit à adopter ce mot est subtil et fondamental. Nous sommes dans un monde technicien et rationaliste. Nous discernons de mieux en mieux le danger de ce monde. Il nous faut un recours. Comme il n'est pas possible de trouver exactement la réponse, l'issue de ce monde, de faire une prévision satisfaisante d'un avenir acceptable, on se rejette sur un avenir imprévisible, on saute l'obstacle en pensée, on construit cette cité, non réelle mais qui n'est pourtant pas de la science-fiction. On prétend alors faire œuvre révolutionnaire parce que l'on introduit une dimension « rêvée », on évoque des possibles différents... on sort de la technique et de la technologie, mais cette entreprise, on la dénomme Utopie... Et ce mot ne vient pas par hasard. Car il est celui qui permet en réalité de ne pas être en contradicton avec ce monde technicien. Toutes les utopies ont été le triomphe de la Technicité. Ce que l'on propose, inconsciemment, c'est un monde *radicalement* technicisé, d'où seulement les inconvénients visibles, éclatants, de la Technique seront éliminés, c'est le triomphe absolu du rationalisme technicien sous le couvert d'un rêve — c'est le travail le plus parfaitement anti-révolutionnaire sous le couvert d'une imagination révolutionnaire! Voilà pourquoi l'on a précisément recours à ce mot

même d'Utopie. L'Utopie est l'univers le plus monotone qui
soit, le plus fastidieux. Elle est « la charte logique de l'ordre
ou plutôt de l'organisation établie, dans l'évidence close et
béate de l'ordre, de l'épuration, de la prévision ». Il n'y a pas
de plus grande erreur que de croire à l'utopie comme imagination exubérante, elle est sèche et impérative. Les hommes
y sont parfaitement mécanisés. Elle est précise et méticuleuse.
Elle est le « rationalisme social » pur et simple présenté
comme seule voie vers la perfection. Car on a dorénavant
comme vue de la perfection ce qu'il y a de plus étroitement
moraliste, de plus totalement planifié : l'Utopie c'est la Méga
Machine de Mumford enfin réalisée. Chaque homme ramené
à n'être qu'un rouage infime de l'ensemble, un ensemble qui
fonctionne parfaitement parce que tous les obstacles sont
écartés — obstacles provenant des souvenirs (et l'Utopie est
un monde dans lequel l'histoire est abolie, il n'y a pas de
passé) mais aussi des projets (et l'Utopie ne peut concevoir
aucun avenir nouveau : le lendemain ne peut être rien d'autre
que la répétition d'aujourd'hui) ou aussi des désirs (l'Utopie
ne peut rien désirer, puisque tout a été prévu pour son bien,
et que tout désir individuel provoquerait un trouble dans ce
mécanisme parfait...). L'individu a totalement disparu dans
une géométrie sans faille, et c'est bien cela que veulent aussi
nos braves utopistes modernes, sans même en être conscients!
Il faut réaliser la perfection sociale, une fois pour toutes. Et
seule la mathématique leur en fournit la certitude.

« Les utopistes abhorrent ce que les poètes chérissent, la
faune et la flore, les branches de l'arbre qui poussent selon
une fantaisie capricieuse, les ponts, les torrents et les instincts
indociles des hommes [1]. » Leur préférence va, comme l'a
très bien vu G. Lafarge, aux compas, aux équerres, livres de
comptes, syllogismes et taxinomies. « Ils ont la haine de ce
qui peut différencier, ils sont rigoureusement et en tout

---

1. Toutes les citations sont tirées de l'ouvrage de Laplantine.

conformistes. Et il ne faut pas oublier que sociologiquement l'utopie naît toujours dans des milieux possédants, bourgeois, effrayés par des agitations révolutionnaires exubérantes. L'utopie a un rôle très précis, conservateur en présentant un faux projet de perfection sociale qui devrait faire taire l'agitation! L'utopie est consolante, maternante, car elle prévoit tout, organise tout, elle envisage d'ailleurs aussi de permettre à toutes les tendances de l'homme de se faire jour, à condition que ce soit parfaitement discipliné, parfaitement régularisé, moralisé. En somme que les tendances que chacun va suivre ne soient plus les siennes propres, mais celles de l'homme social et abstrait que l'utopie a reconstruit. Tout marche à condition qu'une discipline intérieure existe au point que rien de personnel n'existe plus. Ni famille, ni relation privilégiée d'un homme et d'une femme... cela va de soi... ni propriété bien évidemment, mais pas davantage de vie privée ou de sentiment particularisé. La poésie, la musique sont exclues, car l'imagination pourrait grâce à elles provoquer de grands troubles nouveaux. La religion bien entendu, remplacée par une rigoureuse morale intégrée au maximum et une idéologie de l'humanité la plus abstraite. L'utopie est caractérisée par la frénésie de l'organisation. Le groupe social doit être arraché à son environnement naturel pour être remodelé de fond en comble aux exigences purement urbaines... ils nourrissent ce projet incroyable : que tout l'homme soit réduit au citoyen, et que le citoyen soit irréversiblement attaché à sa cité comme le nourrisson que l'on empêcherait de grandir à sa mère [1]. » L'habitant d'Utopie est définitivement un infantile, conservé dans la tutelle maternelle de la société, et se comportant gravement et paisiblement comme on attend qu'il se comporte. Il ne peut se distinguer en rien d'aucun autre : l'utopie c'est le signe de l'identique. Cette utopie est par ailleurs coupée du monde

---

1. O Chine de Mao, en marche vers cette utopie!

extérieur qui ne peut que produire des désordres et introduire
un facteur imprévisible dans la cité idéale. Les citoyens
n'ont pas le droit de voyager : quelles rencontres feraient-ils
qui ne seraient pas prévues, et que risqueraient-ils alors de
rapporter! l'utopie repose bien entendu dans ces conditions
sur une confiance fanatique dans la scolarisation et la pédagogie. Une société totalement scolarisée, dans laquelle on
apprend collectivement tout — y compris bien sûr à faire
l'amour — à ce sujet, l'utopie nous renvoie sans cesse à
notre société en train de se faire. Et prenons garde, précisément, c'est le mouvement le plus en pointe qui représente
toujours le processus d'intégration sociale le plus poussé. Je
pense ici au mouvement de sexualisation, d'éducation
sexuelle collective, de sexualité à l'école, etc. Comment ne
voit-on pas que l'on est en train de détruire ce qui précisément reste mystérieux, aventureux, incertain, mythique,
pour le ramener soit à une froide connaissance soit à une
pratique technicisée parce que collective. Lorsque à propos
de l'éducation sexuelle à l'école et de sexologie, j'entends
les thuriféraires parler de liberté sexuelle que l'on gagne, et
déclarer avec un accent de victoire « ce dont on n'osait pas
parler il y a vingt ans, voici que maintenant, enfin, nous
en parlons sans honte et sans crainte. Voyez comme nous
avons gagné. Nous avons tué un affreux complexe. Voyez
comme nous sommes devenus audacieux, intelligents. Une
absurde morale nous ligotait. Nous l'avons détruite. Des
fausses pudeurs et des complexes... nous ne les avons plus.
Il faut que nos chers petits pratiquent le sexe comme la
tétée... En plein ciel »...

Sinistres imbéciles, parfaits crétins de la sexologie, de
l'éducation sexuelle, de la sexualisation généralisée, vous
n'avez pas encore compris ce que l'on a fait de Racine en
l'ânonnant à l'école? Vous n'avez pas encore compris que
l'école, l'éducation dite permanente, dégoûte inaltérablement
et totalement l'enfant de ce que l'on y a fait, que le rationa-

lisme scientiste infantile de l'école ne sera pas rénové, même si on y fait de l'expérimentation sexuelle, mais que ce sera la sexualité qui sera banalisée, collectivisée, ridiculisée, mortellement ennuyeuse, sans mystère, sans drame, sans passion... « Eh mais, c'est justement ce que nous voulons faire : une sexualité sans mystère et sans drame... il n'y a en effet pas de quoi s'exalter parce qu'on a des organes de service. » Ne savez-vous pas que l'homme a besoin de mystère et de passion — que si la messe blanche est en français et rationalisée, socialisée, il s'inventera des messes noires — que la part du rêve est aussi importante, fondamentale, décisive, pour l'homme que celle de la raison — ou plutôt que la raison n'existe plus s'il n'y a pas le rêve, s'il n'y a pas l'imagination délirante, le mythe et la poésie; la raison devient alors son contraire qui est mathématique combinée ou rationaliste. Ce que vous nous préparez avec votre sexologie, c'est un homme qui sera dégoûté de la sexualité, qui ne saura plus, du tout, ce qu'est l'amour, qui s'ennuiera un peu plus. Et, par Jupiter, on sait ce que fait l'homme quand il s'ennuie — il se suicide à la fin. Votre éducation sexuelle à l'école c'est la préparation d'une génération de tortionnaires suicidaires — une génération qui n'aura plus d'autre issue que le suicide collectif. Vous leur enlevez la *passion* de l'amour (sexuel aussi, mais pas seulement sexuel), alors ils auront la passion de la mort. Il n'y en a plus d'autres. Effroyables hypocrites qui prétendez libérer l'homme en lavant soigneusement à l'eau de Javel les replis tortueux de son cœur, et la femme en lavant de même ses organes pour les rendre stériles!

Je ne parle pas au nom de la morale. C'est précisément contre votre morale scientiste et intégratrice dans la société (car la sexualité gauchiste joue exactement le même rôle : et il est ridicule de voir s'opposer les savants sexologues médecins qui parlent objectivement de la chose, et les groupuscules de libération sexuelle qui se prétendent sauvages :

ils font exactement la même chose) que je m'élève, mais la
récusation de la morale ne peut se produire que dans la
découverte d'un comportement *individuel* nouveau, différent,
ne résultant ni de scolarisation, ni de pédagogie, ni d'expérimentation collective, mais prenant sa source dans l'expérience indicible, dans la transgression tremblante du tabou,
dans le conflit avec la pression collective, dans la pénétration
de ce qui me fut jusqu'à présent caché, et qui est mystère.
L'homme sans cette immense zone d'ombre autour de lui
n'est rien qu'un insecte sur un mur blanc. Il faut qu'en
avançant, mais *lui* et lui *seul*, il projette sa propre clarté —
si vous le situez sur une paroi d'avance blanchie, toute nette,
et sans problème — il n'a plus *rien* à faire — ni à vivre.
Vous nous préparez avec vos bonnes petites intentions le
plus bel enfer climatisé, la plus belle génération d'hommes
conformistes et sans intérêt à vivre. Là, nous trouvons le jeu
spécifique de l'utopie : toute utopie se présente comme expression de la liberté quand elle est la caserne la plus perfec-
tionnée, elle se présente comme une évidence du bonheur
quand elle est une gigantesque école didactique avec tous
les défauts de la plus ennuyeuse des écoles. Elle est dirigiste,
autoritaire, centralisatrice, planificatrice. Elle est communiste. Mais quel communisme? En tout cas le contraire de
celui de Marx! La redistribution égalitaire des richesses
mises en commun. Certes la propriété privée est abolie. Mais
à quel prix! Et cela devrait évidemment faire réfléchir : tout
est aboli avec elle. Toute initiative, toute invention, toute
spécification, toute possibilité de changer qui que ce soit...
    Prenons garde : je ne présente pas ici une défense de la
propriété privée en disant qu'on ne peut l'abolir que dans
un régime totalement conformisé. *Mais* je veux dire que si
les utopistes, *tous,* ont lié la police totale avec l'abolition de
la propriété privée, s'ils ont fait une société mécanique, et
de chaque homme un petit rouage sans aucune initiative,
c'est qu'ils plaçaient infiniment haut la propriété privée :

l'Utopie n'est jamais que l'image inversée de la formule selon laquelle la propriété privée est un droit inviolable et sacré! Ils sont bien, et tous, tous, sans en excepter un, représentatifs de la plus bourgeoise des pensées, nos utopistes! Et le Travail, en avant pour le travail. Tout le monde au travail et sous le contrôle idéal et complet de l'Hygiène — avec ses loisirs aussi parfaitement ordonnés, organisés et collectifs, comme il se doit, que tout le reste. Cabet décide la fête obligatoire rationalisée. Et surtout que rien ne change. Le progrès, c'est la répétition. Une fois arrivés à ce stade idéal, ripoliné, aseptisé, sans problème et sans faits, il est évident que tout changement produirait une exigence d'adaptation et par conséquent un trouble, un pli, une question. Pas de question. Il faut que plus jamais rien ne se passe. Et dans son orgueil délirant la pensée utopiste rationaliste s'élève en valeur, transcende l'histoire et prétend la juger. En cela elle est bien « rationaliste », puisque la raison a été détrônée pour mettre à sa place l'idéologie, la mythologie, la religion de la raison. Nous sommes en présence d'une pensée gestionnaire qui se prend pour la vérité dernière. « Son espérance n'est pas celle d'une humanité rédemptée, d'autres diront libérée, mais d'une micro-société totalement planifiée et organisée à merveille dans le moindre de ses détails. » Elle ne s'intéresse ni à l'homme vrai, ni à l'ardente souplesse de la vie, mais à la rigide mécanique sociale et à la prise du pouvoir. L'Utopiste veut occuper le pouvoir pour organiser l'homme et la société.

On comprend alors le regain d'utopie dans notre société : elle est l'idéologie qui correspond parfaitement à la société technicienne. Sans doute la technique ne réussit pas encore partout, elle provoque bien des troubles et des désastres, on ne voit pas bien comment s'en sortir. Mais de même que les bourgeois effrayés par des mouvements messianiques ou par des forces incontrôlées, en face de qui ils ne savaient que faire, répondaient en fabriquant une utopie où tout serait enfin maîtrisé, contrôlé, organisé, de même aujourd'hui, où la technique soulève des problèmes que nous sommes incapables de résoudre, les mêmes bourgeois (mais ici, il faut le prendre dans le sens que je donnais à ce terme dans la *Métamorphose du bourgeois*), également affolés, également incapables de résoudre, font le saut dans l'Utopie. Et il ne faut ici pas confondre. Car on parle parfois d'utopie pour les livres de Huxley ou de Orwell, mais ce n'est pas du tout le cas : nous sommes là en présence de modèles horribles pour faire réagir contre ce qui va risquer de se produire, ce n'est pas l'utopie. Au contraire est utopique la nouvelle reprise de la pensée de Marx en tant qu'utopie. Les visions de nombreux urbanistes (Yona Friedmann, etc.) et le courant des E. Bloch, Lefebvre, etc. présentent d'ailleurs une caractéristique spécifique de l'utopie de prétendre être le contraire de ce qu'elle est. Ainsi les bourgeois fabricateurs d'utopie se présentaient comme essentiellement révolutionnaires alors qu'ils étaient les plus régressifs, de même aujourd'hui, on se présente comme antitechnicien alors que l'on permet à la technique de procéder à son achèvement précisément grâce au faux poumon de faux oxygène que représenterait l'évasion utopique. La rationalité moderne s'inscrit dans la Technique. Le rationalisme dans l'Utopie. Ce que veut faire le technicien ce n'est en définitive rien d'autre que ce que leur propose l'utopiste.

Et voici que pour une fois l'utopiste entrevoit la possibilité de réaliser son programme. Une conformisation parfaite — certes par les méthodes psychologiques; une maîtrise totale des sols, du milieu, de l'économie... certes par la technique économique; une exclusion totale de la Nature et de ses aléas; une urbanisation totale; une élimination des hasards, y compris ceux de la naissance (oh technique génétique de l'homme idéal, déjà maintenant réalisable!); une distribution rigoureuse des tâches et des avantages; une répétition indéfinie dans une stabilité définitive; une pédagogie incessante, avec une information continue et de ce fait une formation permanente... Mais n'oublions pas l'étymologie de pédagogie : c'est bien une infantilisation totale. La formation permanente, idéologie utopique par excellence, implique que l'on ne sorte jamais du stade infantile. Tous ces objectifs sont ceux-là même de la technique. Et quelle admirable rencontre avec l'Utopie. Celle-ci va être le véhicule qui permet de faire passer dans l'âme des gens l'impératif technicien. Elle permet de faire croire que l'on accède enfin à la société d'égalité parce que l'Utopie est égalitaire, et que l'on réintroduit la part du rêve parce que l'utopie a toujours été présentée comme le rêve de l'humanité. Et nous retrouvons là ce caractère vicieux et hypocrite de l'utopie, de se faire prendre pour le contraire de ce qu'elle est : car, en réalité elle est l'anti-rêve.

Ramené par les bruits de la rue dans son cabinet d'études, et regardant d'un air morose les embarras de la circulation, l'humaniste rêve. Il ne peut tolérer les insultes que se prodiguent les chauffards et l'air tendu, soucieux, exaspéré, fatigué des passants.

Il ne peut tolérer de pareils désordres et de tels gaspillages. Tout est désordre. Les motos explosent de bruits déchirants. Les camions lourdement laissent leur échappement libre asphyxier les voisins. Les agents interviennent avec violence, l'insulte à la bouche, le carnet de contravention à la main, les conducteurs excédés se garent en double file bloquant la rue voisine — cependant que celui-ci, le malin stupide, veut passer à tout prix, s'infiltrer sitôt qu'il aperçoit une apparence de passage, décroche d'une file sur l'autre — se rue pour un centimètre, ne tient aucun compte de ceux qui viennent latéralement, occupe un passage où les autres auraient pu dégager, et bloque radicalement deux, trois courants de voitures qui s'imbriquent inexorablement

les unes dans les autres. L'humaniste rêve. Il rêve d'une cité
où les voies seraient larges, presque sans bornes, et recti-
lignes avec peu d'arrivées latérales. Une cité où les conducteurs ne se déplaceraient que quand ils en ont strictement
besoin évaluant sans cesse leur désir particulier au bien-être
général, où ils seraient détendus et heureux, réduisant leur
activité fébrile, pour ne procéder que par actions communautaires, sans concurrence ni arrivisme, ni possibilité de
dépasser les autres, de quelque façon que ce soit. Fini l'esprit
de puissance et de domination. Des vies tracées au cordeau
comme les rues. Et certes, qu'il n'y ait pas trente-six modèles
de voitures, plus ou moins belles, rapides, puissantes, vastes...
non, pourquoi le gaspillage et cette rivalité? un seul type
d'autos, purement utilitaires, purement pragmatiques — et
tant qu'à faire toutes peintes de la même couleur. Que
personne ne puisse se faire remarquer des autres — car de
là vient une grande partie du mal.

Mais de l'auto, l'humaniste passe immanquablement à
tous ces signes extérieurs de frivolité, bijoux, costumes
incohérents... pourquoi donc doit-on porter une cravate...
ou un blue jean? Il faut de toute évidence si l'on veut que
les conduites soient rationnelles rationaliser en même temps
le cadre de vie. Ne plus céder à des traditions (qui ont eu
certes leur raison d'être mais qui ne signifient plus rien
aujourd'hui...) ou à des modes. Frivolités, déraison, tout le
costume est tel. L'humaniste revenu à son bureau médite.
Il laisse aller sa main sur le papier blanc. Il dessine, distrai-
tement, une silhouette avec un costume dont chaque élément
est exactement satisfaisant. Il constate avec plaisir que
quoique n'exerçant pas son talent, sur le vif il dessine toujours aussi bien. Et le costume féminin, pourquoi faudrait-il
qu'il soit différent du masculin? rien ne permet de le comprendre rationnellement. Mais au fait... il dessine, il dessine,
et son travail... s'abandonner à la rêverie ne vaut rien. Ce
n'est bon ni pour l'âme ni pour le corps. Il sait bien la tâche

qu'il doit fournir. Du dessin encore — mais industriel — pour compléter son travail d'hier. Le bruit est incessant. Comment se concentrer. La nuit tombe peu à peu. Et soudain, en face de sa fenêtre, l'illumination brutale d'un grand magasin explose. Avec une vaste enseigne clignotante blanche et rouge — toute la pièce en est illuminée. Trois secondes rouges. Trois secondes blanches. Un clignotement stupide et aveugle. Quel inconvénient. Et quel gaspillage. Il revient à sa fenêtre — partout la rue s'est bariolée d'enseignes au néon — qui croit-on attirer par ces fantaisies coûteuses? à quoi bon cette folle concurrence, toutes ces forces et ces intelligences perdues pour faire de la publicité... ce serait si simple si au lieu de ces mille magasins, il n'y en avait qu'un seul exactement organisé, rigoureusement réparti — silencieux et climatisé, où le client trouverait strictement tout. Sans diversité, sans emballages coûteux, sans multiplicité de marques provoquant de soi-disant recherches qui ne sont que du gaspillage, puisque finalement tous les concurrents présentent la même chose avec des noms différents. Un magasin avec des allées bien droites, des ascenseurs multiples silencieux et rapides... et dans chaque rayon, tout ce que l'on peut désirer, mais en un seul modèle, que de temps économisé, perdu dans ces tergiversations, ces discussions, que d'efforts évités aux vendeurs qui n'auront pas à faire de démonstration, à essayer de convaincre. Vous avez besoin d'une cuisinière électrique? la voici. Un point c'est tout. Il n'y a pas d'autre modèle. Quel soulagement pour tous. Achèvement d'une parade et d'une comédie dont on n'a que faire. L'humaniste voit. Il revoit cette cité incroyablement parfaite, où enfin les hommes seraient délivrés de tant de soucis, où il ne pourrait y avoir de haines et de concurrences puisque tous seraient identiques, où chacun coopérerait exactement à l'œuvre commune puisque n'ayant ni supérieur ni inférieur, tous seraient prêts à s'entendre avec tous. Supprimer avant tout les causes de conflit et les gaspillages. Voilà l'objectif. Mais alors, ne faudrait-il pas bloquer la parole publique et le discours politique? L'humaniste anxieux s'interroge, car il est assurément pour la liberté. Il a horreur de la censure. Cependant si c'était le prix à payer... à quoi sert d'ailleurs ce discours politique... agitation stérile, d'un côté, souci du bien-être de la cité, de l'autre, mais si tacite et si bien organisée que l'on n'ait plus aucune revendication, que toute revendication ne pourrait que troubler et dérégler cet ordre merveilleux, cet équilibre que nos moyens techniques rendent possibles. A quoi bon encore se livrer à ces spéculations vaines? Le discours politique ne pourrait rien ajouter, sinon produire des revendications... mais au fait non, aucune revendication ne serait plus possible puisque tous les besoins seraient satisfaits, glorieusement satisfaits. Alors, le discours politique devient en soi inutile. Il est strictement vain. Et par conséquent, en le supprimant, on ne fait nullement œuvre de censure. Cette suppression est dans la nature des choses. On ne peut supporter de division futile qui troublerait l'ordre — et personne n'en a besoin. D'ailleurs, dans cette généreuse vision d'une fraternité enfin rendue possible, l'humaniste se demande s'il ne faudrait pas considérer que le discours poétique, lui aussi, n'a plus de raison d'être. Regrets, aspirations, refuge dans le vague, l'incertain, l'inconscient... n'est-ce pas le signe lui aussi d'un désordre, d'un refoulement, d'une insatisfaction... l'homme a substitué cette satisfaction futile et fallacieuse à sa frustration profonde. Mais nous n'avons plus de frustration, plus de conflits. Alors plus de passions, et la poésie cesse d'être utile. La musique, du même coup, qui trouble et entraîne dans des zones peu claires de l'humanité. Car tout doit être clair. Tout doit être amené à la surface de la conscience et du jugement... Des jeunes gens vont au cinéma sous ses yeux, ils se bousculent, rient et se disputent, ils commettent cent imprudences et provocations... ils ont pourtant l'air heureux. Et ce bonheur dans ces circonstances trouble l'humaniste. Comment peut-on être heureux dans un tel désordre, une telle gabegie... Mais c'est tout simplement parce qu'ils sont inconscients... L'inconscience, l'inconscient, il faut les combattre, que chaque homme sache exactement de quoi il est fait, quel est son sort parfaitement clair et tracé sans aléa ni surprise. Qu'il ne supplée pas à un malheur de fond par cette comédie de rires et de bousculades; qu'il possède son bonheur permanent raisonnable et rationnel, au lieu de cette gaieté factice et ridicule. Il faut leur apprendre... l'humaniste revient à sa table de travail, apprendre. Leur apprendre, c'est la seule voie parce que pour des générations peut-être, l'homme n'est pas encore prêt à entrer dans la cité parfaite. Peut-être faut-il la créer sans lui. Et ensuite, procéder à une rigoureuse éducation pour résorber l'irrationnel ancestral... En soupirant l'urbaniste se remet au travail, à dessiner des tubulures d'une nouvelle chaudière, là au moins tout est satisfaisant, les conditions sont objectivement déterminées, la circulation s'effectue sans embarras et sans irrégularités : le fluide est parfaitement cohérent, chaque molécule n'a aucune prétention particulière, tout est en ordre. Enfin l'ordre...

Cette pensée utopique a fait l'objet de tant d'interprétations... Les deux plus opposées sont celles de Duveau (*Sociologie de l'utopie*, 1961) qui y voit l'accès au stade adulte, conscient, élaboré, volontaire de la vie sociale, l'autre de Laplantine qui y voit la forme même de la schizophrénie politique — or, le poids des deux thèses n'est assurément pas le même — parce que leurs valeurs de départ sont opposées. Si d'un côté la pure rationalité est le seul critère, alors en effet l'utopie est la pointe extrême et satisfaisante. Mais est-on assuré que ce n'est pas l'homme même (enfin, ce que jusqu'ici on a appelé de ce nom!) que l'on abandonne. On a trop tendance à mettre indéfiniment l'accent sur le

cerveau : l'homme a gagné grâce à son cerveau, les poten-
tialités du cerveau ne sont utilisées qu'à 80 %, etc. Si tout
l'homme est ramené au cerveau, s'il n'est plus un corps, s'il
n'a plus d'émotion, s'il n'a plus d'autres relations que les
communications rationnelles laissant de côté tout l'émo-
tionnel, alors l'utopie est le modèle... Mais aussi bien l'avenir
souvent décrit de l'aliénation du corps pour brancher directement le cerveau sur des machines... Si l'on veut conserver
un homme intact et dans sa complexité, alors, la thèse de
Laplantine est très forte. L'utopie est d'abord maternali-
sante, elle exprime le désir de quiétude absolue, le retour
au sein maternel. « Le voyageur est pris en charge par une
Mère capable de pourvoir à tous ses besoins et désirs alimen-
taires et végétatifs. » L'analyse est ferme sur la signification
du régime alimentaire, la pureté, l'hygiène... on entre dans
l'Etat pouponnière. Il n'est plus besoin de père ni d'autorité
politique, qui s'interposent fâcheusement entre la mère pré-
voyante totale et les nourrissons. « L'individu dissous dans
ces structures immuables de la chaude harmonie cosmique
se retrouve seul aux prises avec des images maternalisées,
dans une épouvantable soumission... c'est-à-dire en fait dans
un état de psychose... il ne désire plus rien que de garder
sa mère pour lui tout seul. Ainsi s'explique en partie la
haine irrésistible que l'on rencontre chez tous les utopistes,
à l'égard des étrangers... » Tel est le premier volet de l'analyse. Le second se réfère au caractère abstrait des schémas
utopiques, résultant du rationalisme rigoureux, mais qui ne
peut être rigoureux que dans la mesure où les pulsions
vitales, où l'inattendu, l'invention, le projet, la fantaisie,
l'imagination, la communion, sont exclus... Il y a alors une
« aptitude morbide à la stéréotypie et à l'abstraction ».

Laplantine fait le parallèle entre la schizophrénie effective
et l'utopie. « Elle relève d'une homologie structurelle qui
fonde à la fois l'utopie, comme système politique totalitaire,
et la conscience utopique qui est celle des citoyens habi-

tants... » Les points de comparaison effectifs sont les suivants : souci dans l'utopie d'être une fois pour toutes délivré du fardeau des décisions à prendre, et une joyeuse acceptation de ses membres d'une dépendance totale où ils trouvent leur bonheur et qu'ils assimilent à la liberté : or, « on connaît la difficulté du schizophrène à prendre des décisions et son obstination à rechercher une dépendance à tout prix à s'en remettre les yeux fermés aux ordres de l'institution... ». Le second point de comparaison me paraît évident. L'utopie, nous n'avons cessé de le dire, n'est nullement une invention intelligente. Elle est la trahison de la raison par le rationalisme aveugle : aveugle puisqu'il est incapable de se soumettre à la mesure du réel. Elle est « une excroissance monstrueuse de la raison » or, le schizophrène s'enferme en lui-même, devient réfractaire au monde extérieur, imperméable à l'expérience et n'a plus de ce fait aucun rapport avec la vie, et Laplantine très judicieusement montre comment l'Utopie n'est pas seulement un modèle théorique et lointain : nous sommes maintenant grâce à l'appareillage technique en mesure de l'accomplir à peu près complètement, et surtout nous sommes du fait même de la technique qui se structure en système dans l'utopie en mouvement. Et l'auteur découvre dans le comportement des urbains de nombreux traits schizophréniques, rapportés à cette structuration « l'inappétence effective des schizophrènes, leur rigidité, leur comportement figé, catatonique tel qu'il s'étale aujourd'hui dans nos grandes villes sont des faits cliniques... nous sommes envahis de jour en jour dans le moindre de nos gestes comme dans le plus profond de nos mentalités par des modèles que je qualifierais indifféremment d'*utopies* ou de technophrénies... la froideur, l'inaffectivité, l'impossibilité de s'engager à fond en son nom personnel dans les rapports humains... l'obsession de la symétrie, du plan, du programme, du calcul et des assurances... ». Toutes ces tendances qui peuvent être interprétées dans un diagnostic de maladie mentale sont la

présence parmi nous du désir de l'Utopie. Enfin le dernier
caractère à retenir, c'est la tendance à s'enfermer dans le
socio-centrisme d'une existence immobile qui déploie des
dépenses considérables pour poursuivre un équilibre artificiel morbide, qui a pour corollaire une négation du temps
et de l'événement. Il est évident que nous sommes ici en
plein dans l'Utopie. Mais aussi et en même temps dans la
schizophrénie avec la déchéance bien connue de la tempo-
ralisation. Le schizophrène a l'angoisse qu'il puisse encore
survenir quelque chose dans sa vie. « C'est cette négation
typiquement psychotique de l'exubérance de la vie, du mouvement et de l'histoire qui est érigée en valeur par le créateur
d'utopie... » Et pour conclure, notre auteur présente la
double formule suivante qui est saisissante : d'un côté la
structure « schizo-utopique » provoque un rétrécissement
qui consiste à ramener la polyphonie et l'ambivalence des
symboles à la monovalence et à l'univocité des signes. De
l'autre, la pensée utopique a la frénésie du dualisme et la
haine de la dialectique. Tout dans l'Utopie est divisé en deux
opposés. Et elle nous somme de choisir le bien contre le mal,
le jour contre la nuit, l'ordre contre l'incohérence, l'efficacité
contre le divertissement, la ligne droite contre la ligne
courbe, le cérébral contre le spontané, le plan contre le
vivant, l'espace contre le temps. Tout est ramené à un univers
divisé clairement en deux, avec exclusion d'une des deux
parties, or, c'est bien une attitude schizophrénique. Mais
c'est aussi typiquement l'inverse de la raison. Car celle-ci
n'est pas un carcan imposé au réel ni une division de ce
réel en opposés inconciliables, elle est au contraire relation
de l'homme au réel pour le situer et rendre le réel vivable
et compréhensible. Mais dans le sens effectif d'une compréhension, non pas d'une intellection ni, encore moins
d'une rupture analytique. La raison de l'Occident a comporté
l'aspect de la maîtrise, mais d'une maîtrise mesurée par la raison même, non point de cette exclusion et de cette sclérose.

Le passage à l'utopie par le rationalisme montre très clairement le processus de la trahison de la raison par l'Occident, c'est-à-dire, de sa trahison par soi-même, chaque découverte, chaque avancée de l'Occident se traduisant nécessairement par l'émergence d'une contradiction, et par l'ouverture d'une aventure nouvelle. La raison n'est restée raison que dans la mesure où l'homme et l'univers étaient foncièrement non raisonnables, où les puissances vitales étaient infiniment au-delà de toutes les maîtrises recherchées par la raison. Celle-ci édifiait son ordre et sa régularité sur un subconscient que l'on cherchait à éclairer, comprendre et maîtriser mais qui ressurgissait toujours avec une puissance dévorante, dévastatrice. Et la raison était un jeu merveilleux pour reprendre inlassablement la toile d'araignée fine, exacte, ordonnatrice, sans cesse traversée, déchirée par le cyclone d'un gros bourdon. Mais la raison fut pourvue de moyens de puissance. Et c'est le moment du choix qui s'effectue sans choix, sans décision par une sorte de fatalité programmatrice. La raison ne fut plus elle-même, seulement le centre d'un immense appareillage qui cessa de lui obéir. La logique des moyens, la logique de la volonté des moyens, a déraciné la raison. Car la logique est l'inverse de la raison. Nous arrivons alors au problème le plus complexe de cette trahison. Et c'est finalement la combinaison, entre Apollon et Dyonisos. La tête d'Apollon sur le corps de Dyonisos, autrement dit, la Science et la Technique, expression d'abord de la Raison, ne furent plus au service de celle-ci, maîtrisées par elle, conservées dans leur légitimité première, mais au service du délire, de l'irrationnel et de l'excès. Je reste toujours stupéfait lorsque j'entends réclamer en ce temps le retour à l'instinct, à l'irrationnel, à la folie comme si nous n'en avions pas l'exemple le plus remarquable précisément en la personne des techniciens supérieurs, ou encore celle de Hitler qui en est le prototype. Malheureusement j'ai le sentiment que ce que demandent nos brillants intellectuels ce sont les expressions les plus simplistes et évidentes de la folie. La gesticulation d'Artaud. Ils n'ont pas pénétré assez avant, malgré leurs prétentions, pour saisir à quel point les décisions des Politiques et des Techniciens sont de l'ordre d'un délire beaucoup plus subtil, avancé — beaucoup plus redoutable : car s'appliquant au réel et possédant les moyens. Typique dans *Zabriskie Point* : les jeunes prennent la décision irrationnelle et folle de faire sauter la maison du capitaliste. Mais, bien involontairement, le metteur en scène montrait à quel point le monde des adultes est l'expression d'une folie — la même que celle des jeunes — s'exprimant autrement. La même! Toujours celle de la puissance, de la domination, de la destruction des autres... Le délire, la spontanéité ne sont rien et d'aucune façon une réponse à la technique. L'Occident s'est trahi lui-même car sa raison a été dominée par l'hybris, sans pour cela cesser d'être efficace! La raison n'est plus, mais ses produits sont toujours là. Les moyens qu'elle a engendrés sont entre les mains du dieu charmeur et fou, qui se borne à prendre des décisions délirantes, et à les exécuter au prix de destructions sans fin (et je comprends assurément le luxe technicien, la facilité de vie et le bonheur cher à Closets, parmi ces destructions).

Mais comment cette alliance contre nature a-t-elle pu se produire? Comment la raison a-t-elle sombré de cette façon? Comment est-elle devenue serve? Je crois qu'il y a là une sorte de malédiction qui était contenue dès l'origine dans la démarche même de la raison qui ne pouvait supporter la contradiction. Il fallait résoudre toute contradiction qui (dans le monde raisonné, raisonnable) devenait un tache scandaleuse, inacceptable. Cette recherche obstinée de la pensée occidentale a été l'une des grandeurs de cette aventure. Tout ramener à l'Unité. Tout rassembler en un faisceau cohérent. Ne rien laisser en dehors de l'explication, ne pas supporter une zone d'ombre extérieure, ne pas admettre que l'on ne puisse projeter une lumière sur ce qui était le plus caché. Bien plus qu'aux scientifiques et aux philosophes (qui ont tous d'ailleurs présenté cette même volonté, cette même orientation) je pense aux théologiens : cette incroyable aventure de la théologie occidentale refusant d'une part la différence, la rupture, la distance entre Dieu et l'homme et s'efforçant par tous les moyens de ramener l'un des termes à l'autre, et d'autre part ayant l'horreur des Mystères et passant des siècles à sonder l'être de Dieu, à « expliquer » la Trinité, à mettre au jour les mystères, avec un acharnement digne d'un projet moins stupide. Cette volonté de réduire les contradictions, de porter au jour les secrets, a produit alors deux conséquences majeures, d'abord on a éliminé, exclu ce qui décidément provoquait la contradiction. La passion de l'Unité a plongé dans le néant ce qui restait inassimilable ou ce qui provoquait une nouvelle question.

Notre obsession de l'Unité, nous la retrouvons au niveau de la Nation, et à une autre échelle, au niveau du monde. Les bons cœurs qui s'émeuvent parce que « 2/3 de l'humanité meurent de faim » (selon le slogan, j'ai montré ailleurs à quel point il fallait en fait réduire cette affirmation), qui qui réclament une aide totale de la part des « Nations riches » (et bien entendu, je suis pour!) expriment *seulement* je dis bien *seulement* la passion de l'unité du monde, c'est parce que (mais de toute évidence voyons, comme était évidente au Moyen Age l'unité de l'Eglise!) le monde est Un, Unitaire, que l'on est forcément solidaires à l'intérieur — c'est un détail et un exemple. Bien plus fondamental fut donc, dans cette recherche à tout prix de l'unité, le vrai problème de ramener à un ensemble le délirant et le raisonnable. La politique délirante des monarques et la gestion des administrateurs. La magie folle des actifs et la raison scientifique des chercheurs, la Nef des fous et l'ordre urbain. Il y avait totale contradiction. La Raison ne pouvait tolérer les gri-

maces de la Folie, et son désordre. Et pourtant avec l'efficacité qu'on lui connaît, l'Occident y est arrivé. Maintenant
la folie est nichée dans le centre même de l'efficacité, dans
le cours de la géométrie, dans la science. C'est cette combinaison qui donne comme exemple admirable l'Utopie. Autrement dit toutes les entreprises de la raison occidentale sont
maintenant truquées, détournées d'elles-mêmes par le délire
qui a saisi la raison. La passion de la clarté, de l'unité nous
a fait récuser ce qui était la plus grande force de l'Occident, son originalité même, dans le sens d'origine, c'est-à-
dire, non pas la division dans deux mondes inconciliables,
mais le procès dialectique entre deux forces ennemies, irré-
ductibles et se fécondant l'une l'autre. La maîtrise de la
raison et la passion sauvage. Mais dans la confusion, la
raison maintenant sert de cheval à un cavalier fou, avec
toute la puissance qu'elle avait accumulée. Ainsi l'Occident
s'est renié lui-même en n'acceptant pas dans son propre
mouvement la contradiction, par exemple entre la raison et
la prise de conscience (la prise de conscience conduisant
nécessairement à dire que la seule conscience raisonnable
était le dépassement de la raison). Et bien plus encore, c'est
le refus de la contradiction entre Eros et Agapé. Aujour-
d'hui l'Agapé prétend se résoudre dans l'exaltation de l'Eros.
La raison est trahie, nous n'avons plus de recours pour
reprendre notre marche. Tout discours raisonnable, toute
découverte, toute proclamation est maintenant inerte ou
bien soumise au joug de l'hybris. Seul ce qui est le délire de
la puissance, à droite et à gauche, chez les philosophes
comme chez les scientifiques a maintenant la faveur du
public et l'approbation des pairs. Personne ne s'intéressera
ni à une pensée raisonnable ni à une proposition fondamentale. Mais se passionnera pour l'absurde, le délirant, le pas-
sionnel, le spontané, en littérature ou en philosophie, pour
la plongée dans les abîmes de l'inconscient ou de l'hermé-
tique — à condition que cela soit assorti de la puis-

sance organisatrice et technicienne. Et réciproquement. La Technique contient en elle-même, est elle-même le délire de puissance, l'hybris, et de ce fait ne peut servir qu'une pensée du même type : il ne faut pas dire que la technique a été mise au service du délire de Staline : non, mais ce délire total d'un homme a parfaitement correspondu à celui de la technique. C'est pourquoi il a pu s'en servir. Il n'y a pas de différence de nature mais seulement d'échelle et de totalité entre cela et le délire de l'ingénieur des Ponts et Chaussées qui se sert de l'absolue puissance pour faire un réseau routier contre toute raison raisonnable.

Telle est la trahison de la Raison et de l'Histoire.

II

La trahison de l'individu : le bourreau

Lorsqu'au début des âges, il fallut pour la première fois tuer l'homme de son propre clan, la grande terreur s'abattit sur tous les hommes pour ce crime inexpiable. Car il fallait s'arracher sa propre chair, il fallait détruire des puissances spirituelles, et l'homme tuant son frère portait une main sacrilège sur l'équilibre mystérieux du bien et du mal. Et la première grande recherche fut d'éviter cette responsabilité. Le coupable ne sera pas mis à mort par les hommes mais par les dieux. Le coupable sera livré aux rétributions divines. Il sera embarqué, pieds et poings liés sur un canot jeté à la mer; il sera enfermé comme la Vestale romaine dans un caveau avec une minime provision de bouche; il sera rejeté au désert, chargé des péchés du peuple, sans arme et avec une outre d'eau.

L'homme ne tue pas l'homme de son clan; il le livre et

dans ce tête à tête du coupable avec les dieux offensés, l'on ne sait ce qui se produit. Mystérieuse élaboration de la vengeance, mystérieuse reconstruction de l'ordre qui a été troublé. L'affaire se passe dorénavant entre le criminel et les puissances. Il est trop simple de dire que la Vestale est tuée par enterrement. L'homme décline toute responsabilité dans sa mort et ce n'est pas une hypocrisie. Nous sommes en présence d'un jugement de Dieu. L'homme n'a pas à se substituer à Dieu; il n'est pas un bourreau en agissant ainsi, il est prêtre et Mage. Personne n'a le droit d'intervenir dans cette rencontre solennelle. Et si nous ne croyons plus à ces divinités, nous tenons cependant que la rencontre de l'homme avec sa mort est bien une seconde solennelle, l'unique seconde décisive de sa vie. Il est bon à ce moment que l'homme soit seul, comme il l'est réellement, et que dépouillé des cérémonies, des fausses consolations et des fausses terreurs, abandonné surtout par les fausses présences et les mensonges, il se rencontre un instant face à face avec son destin.

Mais les temps ont changé. Les transgressions se multiplient, le corps social se ferme et se défend. L'équilibre des crimes et des châtiments commence à paraître un équilibre social et humain. L'homme s'apprend délégué par les dieux pour de grandes choses et il prend ses responsabilités. Il distingue le meurtre rituel et la vengeance. Il sépare l'offense aux divinités et l'offense au clan, au groupe, à la famille, pas encore à l'individu. Il sépare aussi les peines. Il accepte de se substituer aux divinités infernales pour l'œuvre de mort et si les dieux sont encore appelés à juger dans les ordalies, l'homme décide d'exécuter le jugement. La peine et le jugement sont distincts alors qu'ils n'étaient qu'une seule décision et que l'on inférait de la peine à la culpabilité. Maintenant la peine est seulement l'exécution mécanique de la reconnaissance de culpabilité et il faut qu'elle soit mécanique. Il ne peut y avoir de dérogation, il ne peut y avoir d'oubli ni de pardon. Après que les dieux se sont prononcés pour la culpabilité, l'homme exécute, car il ne se fie qu'à lui-même pour établir l'automatisme des causes et des effets. Alors apparaît le bourreau : l'homme vêtu de rouge, pour que le sang ne se voie pas, mais aussi couleur de l'enfer; l'homme masqué pour que la haine populaire ne le reconnaisse, mais aussi parce que le visage de celui qui tue sans motif est insupportable, mais aussi parce que celui dont la face est livrée aux flammes du sacré ne peut tourner sa face vers le peuple sans masque. L'homme qui porte la crainte et l'exécration, la marque dans ses yeux de l'œuvre inexpiable. L'homme qui vit seul; sa maison est hors du village et quelle femme voudrait partager son pacte avec l'enfer. Car il est bourreau mais sorcier puisqu'il détruit la vie. Le village ne peut accepter son ignominie, son impureté. Il est sacré comme la victime qu'on lui livre. Il est parent du condamné qu'il tue parce que sur l'un et sur l'autre toute la communauté se décharge de son péché. Son contact apporte la souillure et sa vue la peur. Ici encore l'aventure est mystérieuse. Le bourreau exécute dans l'ombre et le cachot de l'Inquisition aussi bien que la salle du Châtelet sont enfouis sous terre, dans les suintements des pierres mal jointes et les fumées des torches de résine. Le peuple ignore ce qui se passe. Ce sont choses secrètes, il n'y a qu'un homme entre Dieu et le condamné. Ce n'est pas le prêtre, mais le bourreau. Et là, vraiment, le frère tue son frère. Injustes tous deux et tous deux criminels. Cependant qu'au-dessus marchent les hommes du village dans leur mauvaise conscience qui les empêche de regarder le bourreau sortant de la porte grillée.

L'on en viendra bientôt à des sentiments plus propres. Ce n'est plus Dieu qui condamne, c'est l'Etat et qui oserait croire que l'Etat soit injuste, qu'il agisse sans droit? Il convient de purger l'homme de sa mauvaise conscience parce qu'il semblerait croire que sa justice avait tort. L'homme est solidaire de l'Etat et si l'Etat est juste, l'homme doit se sentir juste. Si l'on tue, c'est que c'est bien de tuer a dit l'Etat. Le bourreau n'est plus en relation avec les Puissances. Il est un instrument de l'Etat. Il exécute non les décisions divines, mais le juste jugement du pouvoir. Il n'y a plus rien de mystérieux là-dedans. Mais le châtiment doit inspirer une bonne frayeur pour prévenir de nouveaux crimes. A la crainte sacrée se substitue la peur de la police. Le châtiment doit être atroce et public pour frapper la communauté. Il ne s'agit plus d'atteindre le religieux, mais l'imagination. Et l'échafaud se dresse au cœur des grandes villes. L'exécution est cérémonie, lustre et rejoint la fête. Le peuple est dans l'anxiété, mais aussi dans la volupté de l'horrible et l'Etat regarde au balcon la marque de sa puissance.

Le bourreau change de caractère. Il n'est plus médiateur mais agent. Il ne joue plus une magie mais un rôle et l'affaire n'est plus mystérieuse et sacrée, elle est publique et dramatique. Le bourreau n'est plus sur un pied d'égalité avec la victime, ils sont des deux côtés de la barrière. Le bourreau représente maintenant ce qui est juste. Il devient exécuteur de la plus haute œuvre de l'Etat, arbitre de la vie et de la mort. Cependant le peuple n'est pas si facile à convaincre. Il entoure malgré tout cet homme de sa croyance spirituelle et ne peut regarder sa face sans horreur. Il garde le respect inné des vies humaines et sait très bien qu'il ne suffit pas que tuer s'accomplisse au grand jour, car c'est encore une œuvre de ténèbres. Le bourreau n'est plus sacer mais il est toujours paria. Il n'est l'égal d'aucun autre, il n'a pas de frère et la mort qu'il distribue sur ordre l'entoure d'une solitude que personne n'ose franchir. Si chacun était autrefois lié avec lui par la mauvaise conscience, alors qu'il était de la communauté et hors d'elle, parce qu'emportant et supportant son péché, parce qu'exécré à cause de la communauté vis-à-vis du prêtre, indispensable, et honte du groupe alors que nul ne pouvait autrefois le regarder sans se savoir par là

même accusé, chacun l'ignore. Exécuteur pour l'Etat, il est
absent du peuple; ce n'est plus le péché du peuple qu'il porte,
mais la fonction publique. Et devenu étranger à sa victime,
il devient étranger à la société.

Méconnu à la fois des vivants et des morts, mais il possède encore une grande action personnelle. L'infamie redou-
ble devant les sept coups de hache pour exécuter Marie
Stuart, par contre l'admiration s'attache au virtuose de
l'épée. Mais la machine vient. Et que ce soit par la corde
ou le fer, le mécanisme est plus sûr, plus habile, plus constant que la main. La part du bourreau diminue, en même
temps que son aspect et sa place se modifient. La civilisation pénètre dans cette boue secrète, elle y porte l'hygiène.
Il est malsain de donner un tel spectacle au peuple. L'on
s'aperçoit aussi bien que la crainte du châtiment est aussi
grande lorsque celui-ci est caché. L'on se rend compte que
porter le supplicié devant la foule lui attire souvent la sym-
pathie publique et le sang des martyrs n'est semence de
confesseurs que lorsque les simples assistent au drame.
L'héroïsme du condamné change l'histoire et l'Etat perd
son prestige quand ses ennemis affrontent la mort devant
tous. Il convient dès lors d'avoir des cérémonies plus sobres.
Et les bois sont montés dans une cour, et le soleil du midi
n'éclaire plus la justice à l'œuvre. L'aube glacée... Le bourreau n'est plus rouge, il y a si peu de sang et notre raison
nous a montré qu'il n'y a plus de démons. Le bourreau n'est
plus masqué. N'assistent que le juge, l'avocat, le prêtre, tous
solidaires et complices, munis de pouvoirs qui les apparen-
tent au bourreau. Et ils peuvent ces gens-là se regarder sans
rire. Le bourreau n'est plus connu du public; l'on sait juste
son nom, son visage, pour ceux qui l'ont vu, ils ne le mon-
trent pas du doigt. Le bourreau habite dans la ville, il est
citoyen, électeur, père de famille, brave homme au demeu-
rant. Son visage est rassurant car il est démocrate. Et nous
savons bien que sous la république libérale et libre-penseuse

la mort même a perdu sa face de squelette. Il accomplit maintenant une fonction publique : il est fonctionnaire. Quoi de plus émoliant, de moins sujet à caution. Il a une retraite et cultive des roses. D'ailleurs il participe si peu à l'œuvre de mort; c'est à peine si l'on peut dire encore qu'il donne la mort. Il se borne à appuyer sur un bouton; et si la commande est électrique ce bouton peut être dans une autre pièce. Le couperet tombe, la trappe s'ouvre, l'étincelle jaillit. La mort est passée. Mais qui l'a appelée? Le bourreau n'est plus un personnage du drame. On l'oublie dans la revue des Seigneurs. Son geste est respectable comme lui-même, comme sa fonction. Il existe pourtant. Il y a *Un* bourreau. Il est entouré d'un cérémonial particulier et son œuvre contrôlée par les officiels. Toute la société est présente quand il agit. L'on sait encore que la communauté des hommes est tout entière intéressée par le doigt qui appuie sur *ce* bouton. Et si l'on se dit la chose en secret, pourtant le secret est fidèlement transmis et ceux qui y participent vraiment ont encore la sueur froide du plus primitif des hommes.

Mais bientôt on ne le saura plus : « Car la vie a tourné sur ses talons de rage »... et le monde se divise trop bien en juste et en injuste. Celui qui est injuste aux yeux de l'Etat n'a plus le droit de vivre. Il est puni non pour son crime, positif, précis, mais parce qu'il ne rentre pas dans le cadre précis, délimité de la justice, parce qu'il n'est pas d'accord, il est le mal. Il ne fait pas le mal, il l'incarne.

Celui qui fait le mal, on peut espérer l'amender par les méthodes modernes, mais celui qui l'incarne? Il peut seulement disparaître pour que le mal disparaisse avec lui. Il descendra l'escalier de fer aux marches ajourées, à la rampe incertaine. Spirale qui le conduit à la pièce sans fenêtre, de ciment clair, propre et nette, éclairée violemment par une froide électricité, qui est lumineuse comme la vérité, simple comme la distinction du bien et du mal. Ici il n'y a pas d'ombre car il n'y a rien à cacher. Et si nous sommes sous terre, c'est par commodité technique. Il n'y a pas de meubles car nous n'avons rien à y faire et les meubles sont signes d'une évolution. Ici l'évolution s'arrête; seule une rigole autour du sol de ciment, qui aboutit au tout-à-l'égout, et quand il regarde ce lieu qui pourrait être une clinique, derrière lui, la détonation annonce que tout est terminé. Car il ne peut plus y avoir de cérémonial, il ne peut plus y avoir de surveillances : l'incarnation du mal est trop multiforme. Ils sont trop; il faut aller au plus rapide et au plus commode. Il n'y a pas non plus de bourreau : celui qui appuie sur la gâchette est un quelconque dans la foule. Ils sont beaucoup à pouvoir jouer ce rôle et peut-être à le vouloir, car c'est un honneur, c'est une œuvre de salut et de bien.

Jouer ce rôle? Mais ce n'est plus un rôle. C'est la vie même et sans doute ce bourreau est anonyme. Personne dans la foule ne le connaît particulièrement. Comme aux premiers temps il est inconnu. Mais ce n'est plus le masque qui lui assure l'anonymat, c'est la foule. Car il est anonyme dans la fusion avec la masse, comme autrefois il l'était dans sa séparation par la cagoule. Chacun dans son groupe peut être ou devenir le bourreau, s'il est digne de ce service suprême. Et s'il est inconnu, il est honoré par tous comme un soldat inconnu; il est en communion avec les justes. Quel progrès depuis l'obscurité primitive où le bourreau était lié à la communauté dans la mauvaise conscience et le sentiment de transgression du sacré, dans l'effort désespéré pour retrouver l'équilibre et la justice, et certes il faut des victimes à cet effort.

Maintenant nous sommes liés par la bonne conscience, par la certitude que nous n'avons pas à être pardonnés et l'opération s'exécute comme une simple hygiène. Il y subsiste bien un mystère et là aussi comme dans le fait de l'exécution souterraine nous rejoignons les premiers temps, mais ce n'est pas un mystère d'iniquité. C'est un mystère du bien. En effectuant cet acte, le bourreau atteint le sommet du bien et du juste à quoi peut tendre la collectivité. D'autant plus qu'il agit sans passion et sans sadisme, mais aussi sans compassion. L'homme qui fauche les blés pour nourrir sa famille pense-t-il à la vie frémissante de cette herbe qu'il coupe? Tel le bourreau pour qui la victime est devenue une chose et nous voyons ici l'autre face du mystère.

Le mal que la collectivité a vu, décelé, dans celui qui a tort, fait de lui un objet neutre. Le Moyen Age décelait le mal chez les sorciers et les brûlait pour assurer leur salut éternel. Aujourd'hui cet objet est éliminé par hygiène sociale. Ce qu'il était avant, ce qu'il deviendra après importe peu : ce que l'Etat a vu en lui supprime dès avant sa mort tout ce qu'il est et comme la technique mécanique enlevait tout son sens à l'acte, la technique d'organisation l'intègre dans la collectivité et la technique psychologique dans la vie normale. Il n'y a plus de mystère du bourreau, proclamait la raison, il y a cinquante ans. Il y a encore un mystère du bourreau, affirme notre temps, mais combien rassurant et beau. Car le bourreau n'est plus chargé que d'une « liquidation physique ». Et ce terme n'est pas simple hypocrisie, euphémisme de la civilisation technicienne. Il implique justement que le condamné est déjà mort. Il est hors la vérité, hors la justice et de ce fait n'existe plus. Il n'a plus de vie personnelle, ni spirituelle, il n'est qu'une survivance, une persistance d'organes physiques qui n'a plus de raison. Le bourreau remet les choses en ordre; à la mort répond par sa main la mort. Et dans son rôle nouveau signe des nouveaux mondes, la lumière éclatante et froide de la salle d'exécution lui fait des apparences d'archange.

Il restait cependant un progrès à accomplir. Cet objet, n'ayant plus qu'apparence de vie, le condamné, le déjà mort pouvait encore servir. Et dans un monde où tout est soumis à la loi de l'utile, comment accepter que soit négligée cette richesse sociale. La technique avait dépouillé le condamné à mort de sa relation tragique avec la mort, elle revient en arrière pour le ressaisir dans le cadre de l'utile. Il n'est plus rien d'autre. Le voile est tombé. Il n'est déjà plus qu'un zombie mais tout doit être utilisé. Nous avions appris avec horreur que l'on tirait du savon et des tissus à partir des cadavres des camps de concentration. Pourquoi l'horreur? Simple opération technique. Et ceux qui, théologiens chrétiens compris, ont justifié les jeunes naufragés de la Cordillière des Andes d'avoir mangé les corps de leurs compagnons, justifient ce qui s'est fait dans les camps de concentration. Manger le cadavre pour sauver sa propre vie? Après tout pourquoi pas. Les esprits forts nous ont démontré que la condamnation de l'anthropophagie n'est rien de plus que la survivance de tabous absurdes. Comment le corps serait-il sacré? bien sûr, bien sûr. Mais pourquoi n'utiliserait-on pas ces mêmes corps pour faire des conserves si la société en a besoin pour survivre? Nous sommes déjà éclairés par le Soleil vert. Et comment ne pas croire que les besoins globaux de la société sont infiniment plus urgents, plus décisifs, plus justificateurs, plus objectifs que le ventre affamé qui avec un peu de peine mange le bras de son voisin. Il n'y a plus de peine. Il y a la nécessité collective. Jamais la société ne s'est mieux incarnée contre l'individu. Jamais elle ne l'a tant nié, arrivée au sommet de son exaltation.

Mais ce service du déjà mort devait être dépassé. Car cet individu se doit corps et âme à cette société. Mais l'âme? Certes, comment la laisser partir avant qu'elle ait tout exprimé, avant qu'elle ait été exprimée pour livrer tout son sens. Celui qui va mourir détient encore peut-être quelque secret qu'il doit livrer, quelque secret qui disparaîtrait avec sa bouche parlante. Il n'est plus de secret qui doive le rester. Le vivant épié, filmé, photographié dans ses chambres secrètes, écouté par mille oreilles, fiché dans le Mégacerveau, connu dans les détails de son comportement. Mais s'il restait encore quelque chose? L'infime détail perdu qui serait encore nécessaire pour la société? Alors la torture. Il faut qu'il parle. Il faut qu'il exprime ce que peut-être lui-même ne sait plus, si profondément enfoui dans l'oubli que nul psychanalyste ne le ferait renaître. Mais la torture le peut. La relation hypothétique, aussi importante que la réelle, le soupir réfréné, l'aspiration cachée, il faut que la société sache. Tout doit être connu pour que tout soit calculé et que le calcul soit exact. Répression? Enfantillage. Nous avons déjà dépassé cela. Sadisme? Incompréhension fondamentale qui nous rassure, nous raccrochant à la méchanceté d'un affreux Massu, c'est-à-dire encore à l'individu. Mais en cette aventure, l'individu n'existe ni d'un côté ni de l'autre. La Torture est scientifique, le bourreau un technicien, la victime un fragment social qui se doit d'avouer. La Torture ancestrale? La Torture médiévale? Il n'est rien de commun. Offrande aux dieux, devant qui tous semblables vivaient la même *Terreur*. Interrogation ensuite sur le destin et le péché de l'homme, plus particularisé, plus spécifié, plus individualisé d'être justement torturé. La victime était l'individu et reconnu pour tel. Nous avons retourné fondamentalement cette avancée sauvage. La société abstraite et la Technique *neutre* nous permettent d'échapper à l'interrogation. Et qui s'indigne? Les pourvoyeurs de bonne conscience et les signataires de protestation sont prêts à fermer les yeux sur les tortures infligées aux ennemis de leur cause; car, bien évidemment, elles n'existent pas. Les cages à tigre sont une ignominie; mais les raffinements de la Révolution culturelle, simple détail insignifiant. Et si l'on nous pousse dans nos derniers retranchements, si l'évidence s'impose, ne faut-il pas sauver la République, la Démocratie, le Socialisme ou la Révolution... c'est-à-dire toujours la société.

La torture installée n'est pas le fruit d'un hasard ou d'un

recul vers des âges barbares, ni d'un régime, ni d'un accident de parcours. Elle est l'expression logique et rigoureuse de cette négation de l'individu, où l'Occident s'est nié lui-même, au profit du collectif, au profit de l'objectif, au profit du Technique, corps et âme. Mais s'il n'y a plus d'âme, il y a encore ce dernier service que le condamné doit rendre, survivant au profit du social dans cet infime secret qu'il livre avant de sombrer dans la mort.

III

La trahison de l'amour et de la liberté :
Le grand inquisiteur

Qui aime l'homme? Voici bien la grande question que notre époque se pose avec angoisse parmi toutes les promesses, les surenchères, mais aussi les réalisations prodigieuses, et les quasi-miracles à portée de notre main. Grande question? Dans notre for intérieur nous savons bien que les jeux sont déjà faits et la réponse déjà donnée, acquise — qui donc pourrait prétendre aimer l'homme en vérité, sinon celui qui répond à ses besoins — ou plus exactement celui qui le nourrit. Cela n'est pas nouveau? assurément — *Panem et circenses*. Mais il faut bien reconnaître que les Césars n'ont pas réussi à assurer parfaitement le pain des peuples de l'Empire. Et la grande nouveauté de ce siècle, qui nous permet de répondre avec assurance à la question, est finalement qu'aujourd'hui nous avons les moyens, tous les moyens, pour rassurer, garantir, assouvir toutes les faims.

Aime l'homme celui qui le nourrit — et plus encore celui qui *peut* le nourrir. Appuyons-nous aussitôt sur le spirituel, saint Paul ne dit-il pas que la bonne volonté n'a de sens que

grâce à ce qu'elle possède, et non pas en elle-même? Oui,
certes, nous sommes arrivés à ce niveau d'exigence où nous
demandons des preuves tangibles. Plus de concessions dans
ce domaine : si tu nourris véritablement, et durablement,
alors tu es un bienfaiteur de l'humanité. Bien entendu, lorsque nous parlons du pain, c'est par figure, car chacun le sait
aujourd'hui, le pain quotidien c'est l'automobile, la T.V., le
caviar à la portée de tous. Cela s'appelle élever le niveau
de vie. Nous sommes ici en présence d'un amour tangible,
non décevant, et qui demande de la part de ceux qui l'exercent grande abnégation, patiente recherche, prudent calcul,
et cependant toute l'effusion du plus généreux sentiment.
Elever le niveau de vie, et tout le reste est parole. Des mots
des mots, des mots.

Car nous savons aujourd'hui combien le langage est vide,
et quelles illusions furent les nôtres de croire à sa consis-
tance. Pure convention habitée d'images vainement créées
par les cultures, la parole ne dit rien, ne transmet rien, et si
nous avions le sentiment, dans un instant privilégié, qu'un
mot est passé de l'un à l'autre, comme il faudrait passer ce
sentiment à la critique! Et du laminoir objectif ne sortiraient
que de pauvres lambeaux. Et vous oseriez prétendre que ce
langage absent pourrait être témoin de l'amour de l'homme?
témoin et instrument? N'avez-vous pas encore compris ce
qu'est l'hypocrisie? Et renforçons-nous toujours du spirituel :
Jésus n'a-t-il pas condamné ceux qui disent et ne font pas?
Seul le silence aujourd'hui peut valablement accompagner
l'action. Car il n'est pas de communication, la parole atteint
l'oreille et s'évanouit dans un *quid* indistinct, la main touche
la main, mais non pas l'être. Alors que reste-t-il? donner
du pain à ceux qui ont faim. Oh! nous ne prétendons pas
avoir communiqué quoi que ce soit, mais du moins pas
menti, pas avoir prétendu que notre parole portait l'amour.
Nous n'avons pas nourri les autres des viandes creuses de
nos songes et de nos pensées. Nous avons dépouillé les bons

sentiments. Nous savons maintenant que tout est solitude, et que la seule relation est celle des loups... mais ici je m'égare, car il était question de l'amour.

Reprenons. Le langage est illusion : ce qui fait de moi un homme est seulement d'être par mon secours à l'autre le témoin de l'homme auprès de lui. Mais peut-être n'est-ce pas un hasard si l'absence de communication et de langage fut découverte dans le siècle des proliférations de biens de consommation. Dirai-je que, maintenant, la main pleine, l'homme n'a plus besoin de consolations factices de vaines paroles qui le berçaient et lui faisaient oublier sa faim, ou ne dirai-je pas plutôt, que le ventre plein n'a plus d'oreilles pour entendre? « Israël tu es devenu gras et tu n'as plus entendu la parole de ton Dieu » disait le prophète. Mais enfin la situation est ce qu'elle est. Ceux qui aiment l'homme connaissent leur devoir clairement : il faut le nourrir. Ceux qui dirigent les hommes savent qu'ils ne garderont pas long-temps le pouvoir, s'ils ne consacrent tous les moyens de la technique à élever le niveau de vie. Et nous assistons à cette admirable conjonction, que ceux qui aiment l'homme, le dirigent, et ceux qui le dirigent sont ceux qui l'aiment le plus.

Nous assistons bien dans ce siècle à une surenchère, mais infiniment plus grandiose que celle des médiocres politiciens affichant leurs promesses électorales. « Je donne un barrage » — « et moi une station de T.V. » — « et moi cent navires de blé » — « et moi dix mille techniciens ». Nous savons maintenant que le Grand Inquisiteur n'a aucun mauvais sentiment. C'est lui, et lui seul qui aime l'homme en vérité. Tous ceux qui l'ont précédé se sont joués de l'homme. Regardez-le construire les routes et les usines et les maisons. Ecoutez-le construire ses systèmes compliqués pour enfin distribuer légitimement à tous le produit des clairvoyantes autoproductrices. Il ne peut plus faire autrement qu'aimer l'homme. Il y est contraint par le flot montant de ses possibilités. Ce n'est plus un choix, mais une nécessité.

Quelle consolation! nous sommes enfin assurés que cet amour de l'homme s'accomplira. Et nous sommes désormais sortis des sombres avenues du pouvoir, ainsi que des desseins tortueux de l'homme. Tout est situé dans une clarté, une pureté d'évidence, d'épure. Dire qu'il fut un temps où l'on pouvait invoquer la raison d'Etat! Quel horrible simplisme. L'Etat n'a pas de raison.

Et tout ce que l'on fit pour cela ne fut que folie et massacre. Maintenant nous savons qu'il est une raison supérieure et légitime. Ce qui fait mouvoir l'Etat c'est le bien de l'homme. Nous sommes arrivés au stade des certitudes enfin réalisables. Nous savons que le maître d'œuvre est tout abnégation. Car s'il peine durement c'est pour épargner la peine des hommes, et si chaque ingénieur applique avec passion sa méthode, si chaque politique s'engage dans cette voie de la maturité de l'homme, ce n'est pas pour lui, mais pour tous. Certes, j'entends bien, il y a encore des brebis galeuses, des hommes politiques cherchant leur réussite, des savants assoiffés de puissance. Mais nous les avons jugés, et beaucoup déjà ont été pendus. En tout cas devant le Tribunal de l'Histoire, ils sont jugés. Car nous ne sommes plus démunis de critères, et le trouble apporté par les juristes et théologiens dans leurs débats sur la justice et l'amour, ne nous concerne plus. Nous savons maintenant avec exactitude qui aime l'homme. Nous pouvons l'expérimenter tous les jours. Ce n'est plus une affaire de parti et d'opinion. Tout cela est suranné, dépassé. Car les moyens sont semblables si la fin l'est aussi. Derrière les apparences des régimes et des doctrines (qui ne sont que langage!) nous avons ensemble vécu l'accession de l'homme à sa majorité, et personne ne nous fera plus revenir en arrière. Individuel, majeur, soigné, nourri, indépendant, voilà ce qu'a fait de nous le siècle, et nous savons par là que l'humaniste, le seul, c'est le Grand Inquisiteur.

Maintenant venons-en aux œuvres les plus hautes. Car il existe dans le système une sorte de logique propre à nous inquiéter et à nous satisfaire. L'homme vivant dans la faim et dans la terreur ne pouvait pas, ne pouvait absolument pas, entendez-vous, être un homme. Pour la première fois l'homme reçoit d'un autre que d'une très inclémente Nature ou d'une hypothétique divinité, sa suffisance et sa sécurité. Il les reçoit de l'homme. L'homme est sauf, et parce que tout lui vient en abondance, alors, certes, le reste par surcroît — l'intelligence et la bonté — le sens du beau et l'appétit du juste. Désormais parce que non obsédé par la quête du nécessaire, il pourra s'adonner au superflu, arts et morales (qui chacun le sait sont le superflu normal des nantis, comme l'a démontré la bourgeoisie du xixᵉ siècle). Mais penserez-vous, ce n'est pas là bien grande découverte. *Primum vivere...* nous connaissons cela depuis quelque temps. Vous n'avez rien compris. Car ce dont nous parlons ne se situe pas à ce niveau inférieur de la pensée. Ce qui me frappe au contraire lorsque je contemple la minutieuse architecture de ce monde qui se fait sous nos yeux c'est l'extrême intelligence du Grand Inquisiteur. Il est si intelligent qu'il sait qu'il lui faut passer aux yeux des intelligents pour grossier, matérialiste, et superficiel — cela fait partie de son abnégation.

Mais il a bien saisi la nature profonde des choses et des hommes. Il a parfaitement compris le spirituel vrai ou faux qui hante l'homme, et les débats — sérieux ou vains — dans lesquels nous sommes engagés. Il a compris le plus profond. Il a compris qu'il ne peut espérer l'évacuer. Nourrir l'homme au-delà de tous besoins n'évacuera jamais la révolte. Ce n'est pas la faim qui a fait poser la main de Caïn sur une pierre — l'Inquisiteur le sait. Et combien fragile le pouvoir de celui qui envoie ses navires de blé pour nourrir un peuple affamé. Combien vaine l'espérance d'une autorité qui se croit tranquille parce que les salaires haussent régulièrement. N'ont-ils pas appris que dans l'histoire les révoltes éclatent lorsque l'homme précisément cesse d'être écrasé, affamé, privé du nécessaire. C'est alors ce que l'on appelle liberté. Eh, bien sûr! ne le disions-nous pas! Mais celui qui élève le niveau de vie apprend aussi cette médiocre leçon. Il sait à quel point sa position est intenable finalement, et qu'il est encore un bien dont il ne peut se passer, lui qui les distribue.

Le Grand Inquisiteur est parfaitement perspicace, soit par étude et patiente statistique, soit par profonde intuition. Il sait que sans la religion — une (forme) — son pouvoir est toujours précaire et toujours menacé. L'homme nourri ne peut vivre sans également adorer : l'Etat, la Science, la technique, la race, le communisme, la négritude, l'histoire, la culture, ou quelque dieu de bazar qui suffit à le distraire un jour, l'important c'est qu'il y ait une religion, avec ses dogmes et ses rites. Assurément, la plus haute sera quand même la meilleure. Le Grand Inquisiteur, quelles que soient aujourd'hui son opinion, ses options politiques ou philosophiques sait que le pouvoir ne peut plus se passer du spirituel. Il faut satisfaire aussi ce besoin-là de l'homme, il faut lui donner les raisons de se dévouer, d'obéir, de travailler et tout simplement la raison de vivre, sans laquelle aucun bien matériel n'a plus de saveur ni de lumière. Combien la situation de l'homme est intenable, le pouvoir le sait bien aujourd'hui — et cela n'est-il pas de sa mission que le spirituel achève ce que le temporel avait engagé? Mais un spirituel bien tenu, mesuré, correspondant exactement à ces inquiétudes et ces orgueils — pas plus — un spirituel dont le pouvoir sait bien la vanité, l'inexistence. Le Grand Inquisiteur est forcément sceptique. Oh non pas qu'avec un machiavélisme quelconque il prétende « faire marcher » le bon peuple! Le Grand Inquisiteur aime les hommes. Mais n'est-ce pas les aimer que leur donner ce dont ils ont besoin, même si c'est de mensonge et d'illusion?

Le pouvoir est sceptique. Et c'est bien son rôle. Faudrait-il qu'il s'engage dans une quelconque aventure spirituelle

qui lui ôterait froideur de calcul et distance des situations?
Mais il ne peut se maintenir que si l'homme adore. Et pour
y arriver, pour obtenir cette qualité de l'édifice, ce marbre
inaltérable où se complaira l'homme, il faut que tout serve.
Ce n'est pas un vain utilitarisme.

Il faut que tout soit utile, c'est la profondeur même de
notre société, qui avait cru pouvoir diviser, il y a un siècle,
les biens en utiles et futiles. Mais aujourd'hui voici qu'une
plus profonde pénétration du cœur de l'homme nous apprend
que rien de ce que l'homme a créé au cours de son histoire
n'est futile. Tout a toujours été fait pour servir — même
ce qui n'existe pas — même ce qui n'est que rêve et n'habite
comme un fantôme que le plus profond du cœur hanté. Il
faut que tout serve car rien n'a jamais été gratuit, et si
l'homme de nos jours peut avancer triomphalement dans
l'avenue prolongée de ses chances de vivre, c'est justement
parce qu'il profite de cette soucieuse utilisation de toute
chose par un Grand Inquisiteur paternel et souffrant. Quand
celui-ci se maintient dans le pouvoir, ce n'est par aucun
motif égoïste, mais il sait que l'homme ne peut vivre que si
son pouvoir se développe. S'il use de la religion, ce n'est pas
en amer, ironique illusionniste, mais il sacrifie sa propre
conviction, sa propre lucidité à ce qui est indispensable pour
l'homme. Il cherche à lui éviter cette amputation cruelle,
cette aventure inhumaine, cette lucidité d'acier que lui-même
connaît, à laquelle il se voue. Et ce qu'il nie par sa vie même,
c'est cela précisément qu'il doit le plus affirmer, élever,
ostensoir adorable, vers quoi l'homme pourra tendre la
main — car les biens spirituels qu'il contient sont eux aussi
immédiatement consommables.

Et voici bien le plus difficile — cet élan vers le Tout
Autre, jamais achevé, jamais accompli, c'est le plus grand
danger — ce qui laisse insatisfait, ce qui provoque la plus
violente espérance et la plus totale contestation — trouble
profond de l'homme. Sitôt que celui-ci tend la main vers un

au-delà du cercle de sa vie, tout est remis en question, et l'homme serait capable de mépriser ce pain si généreusement donné — au nom de quoi? peu importe, illusion, certitude. Ce qui importe c'est ce trouble qui désaxe l'homme et l'affole — ce qui importe, c'est le sauver de lui-même.

Et voici le génie du Maître : ce qui précisément était la mise en question devient le plus puissant contrefort de l'appareil; ce qui était contestation devient justification; ce qui était impossible tension vers un Tout Autre devient adorable présence de la créature comblée par ce fruit exquis; ce qui était torturante absence devient la plus évidente réalité. Révélation en Christ inversée par la chrétienté, Révolution de la liberté intégrée dans l'Etat, Religion incorporée dans le système par celui-là même qui nie la religion : il s'agissait d'utiliser ce qui était le plus dangereux et le plus contradictoire, minutieuse opération sur un donné plus instable et puissant que la nitroglycérine — et voici que l'objet lui-même, détourné de son sens et vidé de sa force, mais lui quand même, est enfin intégré pour le plus grand bien de l'homme qui peut enfin marcher tranquille vers son point oméga. Tout coïncide, les pièces du puzzle dans lequel l'homme est enfermé sont mises en place. Tout converge, et puisque tout est progrès, nous savons bien que nous montons.

Mais par quelle aberration cruelle vouloir exiger de l'homme le plus difficile, le placer devant ces choix, si vieillots, si désuets d'ailleurs, comme le Bonheur ou la Liberté, le Progrès ou la Vérité? Nous savons aujourd'hui que ces options n'étaient posées que par l'impuissance.

Parce qu'il ne pouvait atteindre le bonheur, il prétendait se trouver libre. Parce qu'il ignorait son pouvoir de progrès, il se fortifiait dans la vérité. Nous avons maintenant franchi ces limites, dépassé ces alternatives. Nous voyons qu'il est une voie droite, simple, bien tracée, que le bonheur assure la liberté et que le progrès de l'histoire nous conduit immanquablement dans la vérité. Et parce que nous avons appris la force des images, des représentations, des symboles et des signifiants, nous voici capables d'assurer ce que jamais l'homme ne fit. Car enfin ces valeurs de justice, de liberté, de vérité... ces valeurs dont aucun philosophe, aucun théologien n'a su donner la définition, le sens, le contenu, ces valeurs qui sont pourtant enracinées dans cet être étranger à lui-même, ces valeurs que l'on ne peut ni détruire ni connaître, ne suffirait-il pas que l'homme croie les vivre? Que sont-elles si elles ne sont vécues? Mais si elles le sont, cela suffit. Est-il encore besoin de s'interroger sur elles? Et les vivre quel en serait le critère? Quelle mesure de la liberté? Quelle constance de la vertu? Quelle évidence de la justice?

Oh depuis si longtemps nous avons appris que c'est un instant fugitif où s'inscrit cette éternité-là. Mais surtout subjectif — quelle limite pourrai-je tracer entre le vrai et le faux prophète — entre l'extase de Dieu et la folie mystique — entre l'accession personnelle à la liberté, et l'illusion de vivre libre que peut avoir le dément dans sa camisole de force? « Jamais les hommes ne se sont crus plus libres », dit le Grand Inquisiteur. N'est-ce pas là ce qui est véritablement important? Que l'homme ait l'impression de la justice, le sentiment de la liberté, la persuasion de la vérité du régime; qu'il soit habité par ces images et ces représentations au travers desquelles il voit le réel! Que pourrait-il désirer d'autre, et vivre d'autre? N'est-ce pas ce signifiant qui *est*, même s'il n'existe aucun signifié? « Je pourrais être enfermé dans la coque d'une noisette et me tenir pour le roi d'un espace sans limites. » Mais c'est le prince du Danemark qui dit cela de lui-même en réfléchissant sur sa propre condition. Alors que c'est le Grand Inquisiteur qui l'accomplit un peu plus chaque jour dans notre inconscience et pour notre bénéfice. Or, retour étrange, voici donc le Grand Inquisiteur, ce réaliste, qui sut si bien discréditer la Parole au profit du Pain, et rejeter dans les marges de l'Histoire celui qui n'avait que son pauvre discours, en face des œuvres confondantes de l'exhaussement du niveau de vie, voici ce Grand Inquisiteur devenu, par la force des choses, à son tour maître d'illusion — lui qui sut si bien la dénoncer. A la vérité, la grande différence est que son illusion vient *après* — après que la main s'est emplie — alors que devant la main vide du mendiant, l'apôtre savait seulement annoncer le pardon de ses péchés. Et puis, nous ne pouvons nous empêcher de songer qu'en définitive l'illusion prodiguée autrefois était une véritable duperie parce qu'elle détournait l'homme d'œuvres concrètes, palpables, comptables, mensurables : ici pas d'erreur possible. Tant de tonnes d'acier, tant de litres d'acide — alors que l'illusion propagée par le Grand Inquisiteur se réfère au plus indécis, au plus incertain, au plus indicible, dont personne n'a su dire s'il existe. Et dès lors est-ce encore illusion? n'en est-ce pas toute la réalité — et ne vaut-il pas mieux que l'homme vive cette image volatile de sa liberté, plutôt qu'une incertitude réelle mais combien cruelle?

Il y eut donc ainsi autrefois une recherche d'un indiscutable spirituel auquel fut sacrifié tout le matériel, et la mise en question radicale de tout ce que l'homme accomplissait ruinait ses projets grandioses, et Babel s'écroulait. Mais maintenant chaque chose est merveilleusement à sa place — exacte — le matériel est *réalisé*. Toute l'aspiration au bonheur se trouve comblée par l'accumulation des choses — et celles-ci toujours plus nombreuses, diverses, envahissantes, réifient notre monde en le magnifiant. Ce matériel reçoit enfin la plénitude de son être. Et le spirituel s'accomplit à son tour dans *l'Illusion vécue*. Il est lui aussi à sa place, il sert, il joue son Rôle, le seul auquel l'homme pouvait le destiner. Il n'est plus obstacle ou détournement. Il cristallise ce qui resterait en l'homme de dangereux par son incertitude et sa disponibilité. Il n'a pas à être plus qu'illusion, puisqu'il se réfère à l'incertain — mais doit être vécu pour satisfaire pleinement l'incoercible appel. Et le Grand Inquisiteur, de fait, nous le donne maintenant à vivre.

Sommes-nous encore inquiets sur un point? Avons-nous quelque réticence devant un tel paternalisme de celui qui veut assurer le bonheur total de l'homme? Aurions-nous l'impression que cet homme est traité en mineur? Penserions-nous qu'il est des mécanismes implacables, de la Technique ou de l'Etat, qui risquent de nous échapper? Nous sommes ramenés à des images traditionnelles de l'apprenti sorcier — qui à la fois nous inquiètent, car leur existence même nous assure que cela serait bien possible — mais nous rassurent car nous sommes dans la légende et le bien connu. Mais en tout cela nous pouvons être bien paisibles, car le Grand Inquisiteur est un homme, assurément comme les autres. Il maîtrise tout cela, il conduit l'appareil, mais il est un homme. Et comme nous sommes accoutumés à penser : « Ce que l'homme a construit, il saura bien le conduire », voilà le bienheureux passage effectué. L'homme n'a donc rien perdu. Il ne risque rien. Le Grand Inquisiteur est un homme. Donc l'homme est sauf. Donc je suis tranquille, et n'ai pas perdu la partie. Je peux référer ma dignité, ma majorité, mon indépendance à ceux qui savent, qui tiennent les fils de la trame et connaissent les boutons sur lesquels appuyer — à ma modeste place, après tout, ne suis-je pas l'un d'eux — et pris dans le système unique et conditionnant, ne suis-je pas à mon tour l'inquisiteur de quelqu'un? Pourtant je ne suis pas le Grand — et cessant la parabole je ne puis éviter la question : mais enfin qui est le Grand Inquisiteur?

Nous sommes trop habitués au sombre tragique de l'inquisition espagnole, et ne pouvons éviter de songer tortures et cachots — alors nous sommes tentés de dire : depuis la mort de Hitler et celle de Staline, plus personne dans notre monde n'est le Grand Inquisiteur. Personne n'assume plus dans sa seule personne la complexité de cette œuvre majeure. Ce fut un accident — comme l'Inquisition espagnole — et ce serait bien vain d'en faire autre chose qu'un exercice de style. Or, me paraît-il, au lieu de déclarer que plus personne n'est le Grand Inquisiteur, il vaudrait infiniment mieux avancer que le Grand Inquisiteur est Personne. Car c'est bien ici que nous rejoignons son être véritable. Certes, dans le récit d'Ivan, on peut décrire son visage de nonagénaire exsangue et desséché. Mais on oublie un détail, c'est que le Grand Inquisiteur avait toujours le visage voilé. Il ne fallait pas que l'on puisse le reconnaître — et les inquisiteurs entre eux ne devaient même pas connaître leur visage et leur personne : afin d'assurer l'objectivité des décisions, afin d'éviter les pressions et les haines, afin de dépersonnaliser parfaitement la protection de la vérité et l'exercice de la justice. Pour que le pouvoir soit plein, total, sans commune mesure avec l'homme quelconque, il doit être anonyme.

Le Prince de Machiavel, et tous les Tyrans, ont un visage d'homme et c'est pourquoi ils peuvent être l'objet de haines et d'amour. C'est pourquoi aussi le peuple peut se révolter, résister à l'oppression, visible et manifeste d'un homme sur les autres. C'est pourquoi aussi le Tyran cède à de vains calculs, à des faiblesses humaines comme l'orgueil, la peur et la mort. Mais le Grand Inquisiteur n'a pas de visage. Il est insaisissable dans sa personne; car composé de dix ou de mille, ce sont toujours des étrangers dont chacun n'est que partie d'un ensemble qu'il ne connaît jamais et cependant auquel il se dévoue tout entier. C'est pourquoi le Grand Inquisiteur peut être dans sa réalité même (et non dans telle personne) parfaite justice et totale abnégation — amour sans faiblesse — scepticisme sans mépris — c'est pourquoi, encore, l'homme en face de lui peut s'éprouver tellement libre. Il n'a plus un visage à haïr, un être sur qui faire retomber la

malédiction du malheur. Il n'a plus une cruauté personnifiée
à dénoncer. Il ne rencontre plus une volonté contraignant la
sienne. Partout où il s'avance, seule une main anonyme
guide ses pas pour son plus grand bien. Partout un ensemble
cohérent, dont on lui montre bien qu'il n'est fait que pour
son bonheur et sa réalisation personnelle, exerce une tutelle
souple et bienveillante. Pourtant les murs de sa cellule s'éloi-
gnent lorsqu'il avance, et quand finalement il réussit à en
toucher un, il est capitonné. Et comme on sait bien que
l'homme a encore besoin de colère, on lui fournit bénévo-
lement quelques petits objets accessoires et sans valeur sur
quoi exercer son indignation justificatrice et l'apparence de
sa liberté. Ainsi fait-on à des enfants que l'on calme en leur
donnant à casser de vieilles porcelaines au rebut. Et lentement la Chose s'organise. Chacun y apporte sa particularité
constructive, son invention, sa bonne volonté, son amour
des autres, sa passion de la justice. Le Grand Inquisiteur fait
flèche de tout bois. Car ce qu'il est, ce qu'il donne, c'est ce
que nous le faisons et lui donnons. Il est simplement l'ordre
— l'ordre en soi — intégrant la somme de nos rêves et de
nos désirs — l'ordre dans la lumière aveuglante de l'évidence
des bons motifs — l'ordre que personne ne fait — et pourtant qui se fait par l'apport de chacun, dont la nature même
est justement qu'étant l'ordre il met en ordre ce qui n'est en
apparence que disparates et faux-semblants, qu'incohérentes
participations et bonnes volontés brouillonnes. Et voici que,
bien au-delà des planifications exsangues, des rationalisa-
tions réduites, tout cela se met en place, dans une sorte de
croissance que l'on ne peut dire spontanée car elle est bien
fruit du calcul, mais de qui? — une sorte de croissance
aveugle de racine plongeant implacablement vers ce qui la
nourrit — aveugle et pourtant dirigée. En présence de cette
réalité, la plus profonde de notre temps, il nous faut avancer
avec une sorte de révérence sacrée, ne marcher que sur la
pointe des pieds. Et que nul spirituel ne trouble cette crois-

sance dont l'homme tire tout son profit, et tout entière joue pour le plus grand bien et bonheur de cet homme. Que tu es. Que je suis.

« Qu'es-tu venu déranger, Toi qui poses des questions? Quel titre as-tu? »

Qui oserait répondre...

Quos perdere vult, Jupiter dementat

J'AIME l'Occident. Malgré ses vices et ses crimes. J'aime la vision des prophètes et la grâce du Parthénon, j'aime l'ordre romain et les cathédrales, j'aime la raison et la passion de la liberté, j'aime la perfection de ses campagnes, la mesure de ses produits et la grandeur de son projet, j'aime l'Occident... Je sais, je sais, les mines du Laurion et les crucifixions d'esclaves, je sais les massacres des Aztèques et les bûchers de l'Inquisition, mais malgré tout, le crime n'est pas l'histoire de l'Occident, et ce qu'il a porté dans le monde dépasse infiniment ce qu'il a fait contre des sociétés ou des individus. Mais il est vain de parler. Et ce livre une fois de plus me donne le sentiment de l'acte parfaitement inutile, car personne ne pourra l'accueillir, personne ne peut plus dans ce monde occidental croire à cette vocation ni à cette grandeur. Nous sommes pris dans une sorte de fatalité que rien, semble-t-il, ne peut plus dénouer, puisque les adeptes du Christ eux-mêmes se ruent dans la fatalité de cette destruction. Seule la négation de tout ce qui est occidental, de tout ce que l'Occident a produit peut aujourd'hui satisfaire les hommes de ce même Occident. Nous assistons dans toute l'Europe et l'Amérique à une sorte de mystère, nous sommes pris dans une procession gigantesque de flagellants qui se déchirent mutuellement, et eux-mêmes, avec les pires fouets. Nous nous sommes déguisés, pour que personne ne puisse reconnaître ce que furent les vertus des hommes de notre monde, nous nous sommes barbouillés de peinture et de sang pour manifester notre mépris envers tout ce qui a fait la grandeur qui nous a faits. Et nous nous flagellons avec hystérie pour des crimes que nous n'avons pas commis. Nous assistons avec joie, enthousiasme uniquement à ce qui nie, détruit, dénature, ce qui fut l'œuvre de l'Occident. Nous trépignons sur son corps et crachons à son visage. Si le xixᵉ siècle a trahi par la bonne conscience (qui ne fut jamais la vérité de l'Occident) nous, nous trahissons par la mauvaise conscience, qui devient à la limite pur délire. Quand on voit le cinéma des vingt dernières années, on est confondu de se rendre compte que seuls les films qui ont diffusé le mépris, l'ordure, la flagellation ont réussi. Et nul argument ne peut servir en face de ces évidences, de ces lieux communs totalement acceptés. Nulle raison. Nulle prise de conscience. On ne « prend conscience » que d'une seule « vérité » : l'ignominie du monde occidental. Je vois marcher l'Europe à grands pas vers sa fin. Non pour des raisons économiques ni techniques ni politiques, non qu'elle soit submergée par un tiers monde, en réalité impuissant, non qu'elle soit aussi mise en question par la Chine, mais parce qu'elle est partie pour son suicide. Toutes les conduites (je dis bien toutes) des Techniciens, des Bureaucrates, des Politiciens, et en plein accord fondamental, malgré la contradiction apparente, les discours des philosophes, des cinéastes, des scientifiques sont toutes des conduites suicidaires. Tout facteur positif qui peut apparaître est aussitôt retourné, déformé, inverti, pour devenir un nouveau chef d'accusation ou un moyen de destruction. La Gauche a triomphalement rejoint la Droite dans cette course à la mort, et le christianisme célèbre ses noces avec le marxisme pour procéder à la mise à mort de la vieille carne impuissante qui fut la gloire du monde. Dans cet accord des plus opposés, unanimes sur ce seul point, je ne puis voir une démarche naturelle et un développement spontané; que les arguments les plus forts, les démonstrations les plus solides, les dangers les plus évidents, les valeurs les plus éprouvées, les certitudes les plus scientifiques ne servent à rien, que l'on ne puisse déplacer d'un millimètre la décision technicienne ou le discours pseudo-révolutionnaire, tous concordants pour cette négation de l'Occident, prouve qu'il y a autre chose. Nous ne sommes pas, en présence de cette unanimité et de cette inflexibilité, devant une décision consciente clairement prise en connaissance de cause, la récusation du procès dialectique qui était la vie même de l'Occident, l'aveuglement total devant le risque de faillite, la rage destructrice, incombe à ce que certains ont appelé Destin, Fatalité, d'autres Jupiter ou Nemesis.

Mais de toute façon, c'est l'aveuglement des hommes provoqué par quelque dieu qui conduit l'homme même à vouloir obstinément, et quels que soient les choix qui restent possibles, quelles que soient les options, les chemins qui s'ouvrent encore, quels que soient les avertissements des prophètes ou des sentinelles, quelles que soient les déplorations des poètes et des faibles, à vouloir à tout prix sa propre perte, assurant par ses mains la chute de ses citadelles et la déraison de sa raison.

Trois mouvements dans ce jeu me semblent perceptibles, et c'est le dernier mot, la dernière analyse (vaine) qui soit encore possible avant le délire incendiaire.

Le premier mouvement est celui de la Négation sans issue. Ce repli dans le refus simple de tout ce qui a été, de tout ce que peut être encore l'Occident. Le plaisir délirant de détruire et de renier, de prétendre l'homme sans survie ou l'artiste sans culture, le sadisme de l'intellectuel qui désintègre le langage, son langage, qui ne veut plus rien dire, parce que de fait il n'y a plus rien à dire, l'explosion du verbe car il n'y a plus de communication, la dérision devenue œuvre d'art, et finalement le suicide, qui sera réel chez les jeunes, qui sera intellectuel ou décréateur chez les écrivains, peintres, musiciens... Et cela parce que le « système » leur paraît si effroyable que tout projet est aussitôt récupéré, aussitôt rationalisé. Ils se sentent pris dans un dilemme inévitable : tout irrationnel sert de compensation au système et par conséquent fait partie de ce système (mais on ne précise jamais en quoi consiste le fameux système)... Pour échapper à cette récupération, il faut radicaliser, radicaliser sans fin, toutes les positions, tous les projets, toutes les oppositions... Mais en radicalisant avec cette vigueur obsessionnelle, on détruit d'*abord,* effectivement en premier lieu, ce qu'il eut fallu sauver, préserver, le plus fragile de ce qui reste authentique dans notre monde et notre temps, ce qu'il eut fallu conserver soigneusement comme point de départ éventuel possible de toute une espérance. Mais parce que la morale est devenue sans valeur et témoin d'hypocrisie, alors on rejette tout ce qui aurait pu rester la fragile semence d'un renouveau éthique : mais on ne veut plus rien. La morale ayant été l'apanage de la bourgeoisie, tout ce qui s'en rapproche est rejeté. Ne vient à l'idée d'aucun qu'il n'y a jamais eu de société sans morale, et que ce qui manque avant tout à notre monde occidental c'est précisément une éthique et un système de valeurs acceptées, mais sitôt que paraît une fragile éclosion de valeur... les intellectuels surgissent pour la nier et la bafouer. Ce qui n'est nullement une preuve de liberté, d'intelligence, mais en réalité d'impuissance, démission délirante où la négation devient une valeur pour elle-même. Nous n'en sommes plus à la phrase célèbre : « Le premier devoir est de dire Non » (que j'ai adoptée comme épigraphe de certains de mes livres), mais il est le *premier,* il y a une suite. Aujourd'hui comme un bœuf stupide qui secoue la tête lentement de droite à gauche, intellectuels et artistes ne savent plus que ce Non, et rien au-delà, rien — le néant — qui est néant de leur œuvre. Théâtre en miette et Molière décrypté, poésie sans mots, musique ramenée au son brut, destructuration du langage, Lacan, Derrida, et tous leurs épigones qui croient s'en sortir par l'incompréhensibilité absolue alors que nous sommes effectivement dans la pire démission sans lendemain, fermeture de tous les possibles, de toutes les espérances. Il n'y a plus rien à vivre, proclament sans le savoir ces intellectuels qui jettent l'éblouissant éclat d'un soleil prêt à s'abîmer dans l'océan. La virtuosité n'a jamais remplacé la vérité. Mais justement le refuge dans ces virtuosités témoigne seulement que pour eux, les dernières Eminences Cardinales du monde occidental, il n'y a plus aucune vérité...

Le second procès est celui du Mouvement sans direction. Il y a plus de trente ans j'écrivais dans *Présence au monde moderne* que nous sommes partis à une vitesse sans cesse croissante vers nulle part. Le monde occidental va très vite. De plus en plus vite, mais il n'y a pas d'orbite où se situer, il n'y a pas de point vers lequel on avance, il n'y a ni lieu ni objectif. On discerne les erreurs que l'on a commises, et on continue avec une obstination qui dure comme si elle était aveugle. On sait ce que veut dire la menace atomique, et on continue comme une taupe à fabriquer bombes H et usines à énergie atomique. On sait ce qu'implique la pollution, et on continue imperturbablement à polluer l'air, les rivières, l'océan. On sait que l'homme devient fou en vivant dans les grands ensembles et on continue automatiquement à fabriquer ces grands ensembles. On sait quels sont les dangers des pesticides et des engrais chimiques et on continue à les répandre à doses sans cesse plus massives... on sait — comme la victime masochiste qui sait que dans chaque bol de bouillon on lui a versé un peu d'arsenic et boit cependant jour après jour ce bol de bouillon comme poussé par une force supérieure à sa volonté. Nous accélérons indéfiniment et qu'importe où on va. C'est le délire, l'hybris de la danse de mort, ce qui compte c'est précisément la danse elle-même, la saturnale, la bacchanale, la lupercale, du néant qu'elle annonce, on ne s'inquiète plus de ce qui sortira. Mourir pour danser. Notre génération n'est même pas capable de cynisme.

Il faut une grandeur terrible pour oser dire « Après nous le déluge... ». Mais nul ne le dit, au contraire, chacun regorge de promesses et tient sa danse folle pour une authentique démarche du renouvellement. Mais il n'y a plus ni objectif, ni transcendant, ni valeur déterminante, le mouvement se suffit. Dans les Eglises, la prédication de la parole est remplacée par le trémoussement extatique et quand on tombe en transe, on y voit une preuve d'authenticité spirituelle, les intellectuels saisis par ce mouvement sans direction ouvrent des puits sans fond, où ils se penchent et se perdent. L'herméneutique, interprétation des interprétations est symbole même de cette agitation frénétique de l'intelligence, le raffinement de plus en plus aigu de la pensée, ne débouchant, nécessairement, par ses prémisses mêmes, sur rien de possible. Et chacun muré dans sa sphère, ne veut entendre le discours de l'autre ni son interpellation ni sa mise en garde. Ephémères écoles, éphémères entreprises, des milliers de livres sortent chaque année, brillant d'un éclat d'autant plus vif qu'il contient moins et dit moins, et dont le lendemain il ne restera rien. L'important c'est le mouvement même. Nous avons déjà eu cela en politique. « Le socialisme c'est le mouvement et non pas l'objectif. » Ne regardez donc pas ce que le socialisme a réalisé, ni en U.R.S.S. ni ailleurs, regardez comme nous revendiquons, comme nous luttons, comme nous préparons la révolution (vers rien, vers un ailleurs jamais formulé), comme nous dénonçons, voyez notre vigueur et notre activité... et en fonction de cela, venez donc avec nous... La Révolution du nihilisme a fini par gagner. Tous ceux qui aujourd'hui sont des activistes politiques en se prétendant encore révolutionnaires n'ont plus rien d'autre à proposer. Le mouvement pour le mouvement, l'approfondissement pour l'approfondissement, la révolution pour la révolution... seul moyen, dit-on, pour échapper au système. Mais il semble remarquable que ce système soit tel qu'il rend fou ceux qui y entrent autant que ceux qui le récusent. Le système est le

Jupiter d'aujourd'hui. Mais un Jupiter que nous avons élaboré par notre intelligence même.

Et le troisième mouvement c'est le ressassement dans l'accélération. Non seulement nous sommes saisis par ce mouvement accéléré, l'histoire s'accélère, et l'information, et la découverte scientifique et la démographie, et la productivité, tout cela sans but et sans signification, nous venons de le dire, mais encore avec un prodigieux mécanisme de répétition, de ressassement, de redondance. Apparaît-il par extraordinaire une idée neuve (je dis bien idée, non pas pensée, il n'y en a plus! ni compréhension, ni authenticité!), mille livres aussitôt surgissent pour la répéter (à condition qu'elle soit dans le courant conformiste de désagrégation), nous vivons dans un univers de répétition indéfinie que nous croyons invention, nouveauté, inauguration, mais, dans notre ignorance générale nous imaginons, que, à l'image des sciences exactes et des techniques, on pense de plus en plus et on vit de plus en plus. Quand on a dépouillé des magies d'un langage pseudo-scientifique ou des obscurités d'un langage désintégré ce que nos sociologues, psychologues, psychanalystes, marxistes, historiens (car l'histoire, elle aussi, s'est vouée à l'obscurité), romanciers, poètes veulent dire, on est atterré de l'inanité, de la vacuité, de l'inconsistance de ce dit, et l'on aperçoit qu'il y a seulement un immense ressassement, tout cela est déjà parfaitement connu, était depuis longtemps entré dans la banalité. Cette impuissance à innover autrement que dans le jeu des signes (non pas des symboles!) marque pour moi la fin de l'Occident. Fin de la Raison, fin de la prise de conscience et de l'autocritique, fin de la liberté, fin de l'individu. Et je sais qu'avec une belle désinvolture ceux que j'attaque ici, et qui ne me liront jamais, diraient : « Tout cela en effet nous est bien indifférent, ce sont de simples inventions culturelles sans réalité objective et l'Occident que voulez-vous que cela nous fasse? Nous sommes fils de personne. » Je préciserai : Nous sommes Rien, fils de

Personne... simple répétition d'un écho qui s'affaiblit, simple mouvement de particules browniennes qui n'existent pas en tant que telles, mais seulement par la trace que l'on peut détecter un millième de seconde et s'éteint aussitôt. Les responsables de ce qui fut le legs de l'Occident ont pris l'air bravache pour dire que cela ne les concerne plus. Or, l'Occident ne peut vivre de Rien, et ce ne sont pas les politiques, qui le feront vivre, ni les économistes; le profond équilibre, l'étonnante réussite que j'ai essayé d'évoquer touche à sa fin par la seule faute de ceux qui n'ont pas su, pas été capables de la ressaisir, et il s'agit bien de tous les intellectuels d'aujourd'hui. Tous sans en excepter un. Tous ceux qui ont un nom et qui parlent. Les créateurs du Mythe. Mais ce sont les mythes de la Mort qui seuls aujourd'hui parlent à notre folie. Fin de l'Occident. Mais ce n'est pas forcément la fin même du Monde.

Table des matières

LA COMPOSITION, L'IMPRESSION ET LE BROCHAGE DE CE LIVRE
ONT ÉTÉ EFFECTUÉS PAR FIRMIN-DIDOT S.A.
POUR LE COMPTE DES ÉDITIONS CALMANN-LÉVY
ACHEVÉ D'IMPRIMER LE 24 MARS 1976

Dépôt légal : 1er trimestre 1976
No d'édition : 10408 — No d'impression : 8648